L211

Habitat

housing
living conditions

The Open University

Envol 2

Upper intermediate French

D0244679

This publication forms part of an Open University course L211 *Envol*: upper intermediate French. Details of this and other Open University courses can be obtained from the Student Registration and Enquiry Service, The Open University, PO Box 197, Milton Keynes MK7 6BJ, United Kingdom: tel. +44 (0)845 300 60 90, email general-enquiries@open.ac.uk

Alternatively, you may visit the Open University website at www.open.ac.uk where you can learn more about the wide range of courses and packs offered at all levels by The Open University.

To purchase a selection of Open University course materials visit www.ouw.co.uk, or contact Open University Worldwide, Walton Hall, Milton Keynes MK7 6AA, United Kingdom for a brochure; tel. +44 (0)1908 858793; fax +44 (0)1908 858787; email ouw-customer-services@open.ac.uk

The Open University
Walton Hall, Milton Keynes
MK7 6AA

First published 2009.

Copyright © 2009 The Open University

All rights reserved. No part of this publication may be reproduced, stored in a retrieval system, transmitted or utilised in any form or by any means, electronic, mechanical, photocopying, recording or otherwise, without written permission from the publisher or a licence from the Copyright Licensing Agency Ltd. Details of such licences (for reprographic reproduction) may be obtained from the Copyright Licensing Agency Ltd, Saffron House, 6–10 Kirby Street, London EC1N 8TS (website www.cla.co.uk/)

Open University course materials may also be made available in electronic formats for use by students of the University. All rights, including copyright and related rights and database rights, in electronic course materials and their contents are owned by or licensed to The Open University, or otherwise used by The Open University as permitted by applicable law.

In using electronic course materials and their contents you agree that your use will be solely for the purposes of following an Open University course of study or otherwise as licensed by The Open University or its assigns.

Except as permitted above you undertake not to copy, store in any medium (including electronic storage or use in a website), distribute, transmit or retransmit, broadcast, modify or show in public such electronic materials in whole or in part without the prior written consent of The Open University or in accordance with the Copyright, Designs and Patents Act 1988.

Edited and designed by The Open University.

Typeset by The Open University.

Printed and bound in the United Kingdom by Latimer Trend & Company Ltd, Plymouth.

ISBN 978 0 7492 1740 2

1.1

The paper used in this publication contains pulp sourced from forests independently certified to the Forest Stewardship Council (FSC) principles and criteria. Chain of custody certification allows the pulp from these forests to be tracked to the end use (see www.fsc.org).

Table des matières

Introduction 5

Sommaire 6

Session 1 Les quartiers et les grands ensembles : contestation ou consultation ? 7

Le quartier de La Villeneuve : des opinions partagées 7

Consultation : les résidents parlent et les municipalités s'engagent 20

Session 2 L'immobilier : acheter, louer, construire 24

Les annonces immobilières : les mots du rêve 24

La situation du logement : l'exemple de Caen et sa région 29

Acheter, rénover, récupérer 32

Session 3 Penser la ville 42

Marseille et Liverpool 42

La perspective des architectes 45

La perspective des urbanistes 51

Session 4 Une société solidaire ? 60

Lutter en faveur du logement pour tous 60

Le logement social 64

La vie associative 71

Session 5 Révision 78

Corrigés 79

L211 Course team

Central course team

Sue Brennan (course team secretary)

Xavière Hassan (author, coordinator, co-chair)

Marie-Noëlle Lamy (author, coordinator)

Tim Lewis (author, coordinator, co-chair)

Françoise Parent-Ugochukwu (author)

Hélène Pulker (author, coordinator)

Shirley Scripps (course manager)

Elodie Vialleton (author, coordinator)

Lydia White (course team secretary)

Course production team

Mandy Anton (graphic designer)

Guy Barrett (interactive media developer)

Catherine Bedford (editor)

Ann Carter (print buying controller)

Heather Clarke (graphic artist)

Lene Connolly (print buying controller)

Sue Dobson (graphic artist)

Beccy Dresden (media project manager)

Vee Fallon (media assistant)

Elaine Haviland (editor)

Neil Mitchell (graphic designer)

Liz Rabone (editor)

Sam Thorne (editor)

Nicola Tolcher (media assistant)

Consultant author (Unit 2)

Lucy Ovadia

Critical reader (Unit 2)

Gerard Sharpling

External assessor

Nicole McBride (London Metropolitan University)

Audio-visual production

Audio and video sequences produced by Autonomy Multimedia and Mediadrome for Learning and Teaching Solutions (Open University).

Original L211 audio and video sequences compiled and produced by the BBC.

Special thanks

The course team would like to thank everyone who contributed to the course by being filmed or recorded, or by providing photographs.

The course team would also like to acknowledge the authors and consultant authors of the first edition of L211: Bernard Haezewindt, Stella Hurd, Marie-Noëlle Lamy, Hélène Mulphin, Jenny Ollerenshaw, Duncan Sidwell, Pete Smith, Anne Stevens, Peregrine Stevenson (authors); Martyn Bird, Marie-Thérèse Bougard, Chloë Gallien, Marie-Marthe Gervais-Le Garff, Christie Price, Peter Read, Yvan Tardy (consultant authors).

Habitat

La majorité des Français habitent en ville. Que pensent-ils de leur habitat ? Dans quels types de quartier vivent-ils ? Quels problèmes de logement rencontrent-ils ? Que font les autorités et les urbanistes pour résoudre ces problèmes ? Et le citoyen moyen, comment peut-il manifester son appartenance à une société solidaire, face aux difficultés de logement éprouvées par les plus démunis ? C'est ce que vous allez découvrir dans ce livre.

Sommaire

Le tableau ci-dessous présente la structure des sessions qui composent ce livre. La colonne de gauche indique le contenu thématique et la colonne de droite énumère les points clés de chaque session.

Unité 2 Habitat	
Session 1 Les quartiers et les grands ensembles : contestation ou consultation ?	
Le quartier de La Villeneuve : des opinions partagées Consultation : les résidents parlent et les municipalités s'engagent	• Les adjectifs : un rappel • « Dont » pour relier deux idées • Exprimer la cause • « Ce qui, ce que, ce dont » • Les mots familiers/raccourcis • Les différents usages de « on » • Organiser son vocabulaire
Session 2 L'immobilier : acheter, louer, construire	
Les annonces immobilières : les mots du rêve La situation du logement : l'exemple de Caen et sa région Acheter, rénover, récupérer	• Le pronom démonstratif « celui, celle, ceux, celles » avec « qui, que, dont » • Parler du logement • Acheter, louer • Les notaires • Le vocabulaire des publicistes : les adjectifs employés comme noms • Utiliser le futur pour exprimer des généralités
Session 3 Penser la ville	
Marseille et Liverpool La perspective des architectes La perspective des urbanistes	• Encore, toujours • Exprimer le doute et la certitude avec le subjonctif et l'indicatif • L'architecte Jean Nouvel • Pour contraster deux idées • Exprimer l'accord et le désaccord • Exprimer une opinion
Session 4 Une société solidaire ?	
Lutter en faveur du logement pour tous Le logement social La vie associative	• Les noms abstraits suivis de « à » et de « de » • La différence entre « plus » et « plus » • Bien et bon • Les personnes et les gens • S'exprimer avec force : convictions et exigences • Aider votre révision des constructions grammaticales
Session 5 Révision	

Session 1 Les quartiers et les grands ensembles : contestation ou consultation ?

Dans cette session, le quartier de La Villeneuve, à Grenoble, vous est présenté. Caractéristique de nombreux grands ensembles construits en France dans la deuxième moitié du XXe siècle pour loger une population en expansion qui ne pouvait pas accéder à la propriété privée, La Villeneuve provoque le désaccord sur l'efficacité des solutions adoptées à l'époque pour régler la crise du logement. Mais aujourd'hui c'est aussi, vous allez le voir, un lieu où les avis des uns et des autres peuvent s'exprimer dans la consultation.

Points clés

- G2.1 Les adjectifs : un rappel
- G2.2 « Dont » pour relier deux idées
- G2.3 Exprimer la cause
- G2.4 « Ce qui, ce que, ce dont »
- C2.1 Les mots familiers/raccourcis
- O2.1 Les différents usages de « on »
- S2.1 Organiser son vocabulaire

Le quartier de La Villeneuve : des opinions partagées

La Villeneuve est un grand ensemble, construit dans les années soixante-dix, à un moment où les architectes espéraient créer un brassage social pour permettre à des gens d'origines diverses de vivre en harmonie. Malheureusement, l'expérience n'a pas eu le succès attendu et La Villeneuve a connu les mêmes problèmes que les autres grands ensembles urbains : alcoolisme, toxicomanie, délinquance. C'est pourquoi les opinions sur La Villeneuve sont très partagées : certains habitants trouvent l'atmosphère du quartier conviviale et cosmopolite, mais d'autres contestent cette idée. Vous allez explorer La Villeneuve, rencontrer certains de ses habitants, prendre connaissance des questions qui agitent les « quartiers » ou les « cités », comme on appelle souvent les grands ensembles à problèmes.

Activité 2.1.1

Regardez ces quelques photos – tirées d'un album d'un habitant de La Villeneuve – ainsi que leurs descriptions, et notez les adjectifs utilisés.

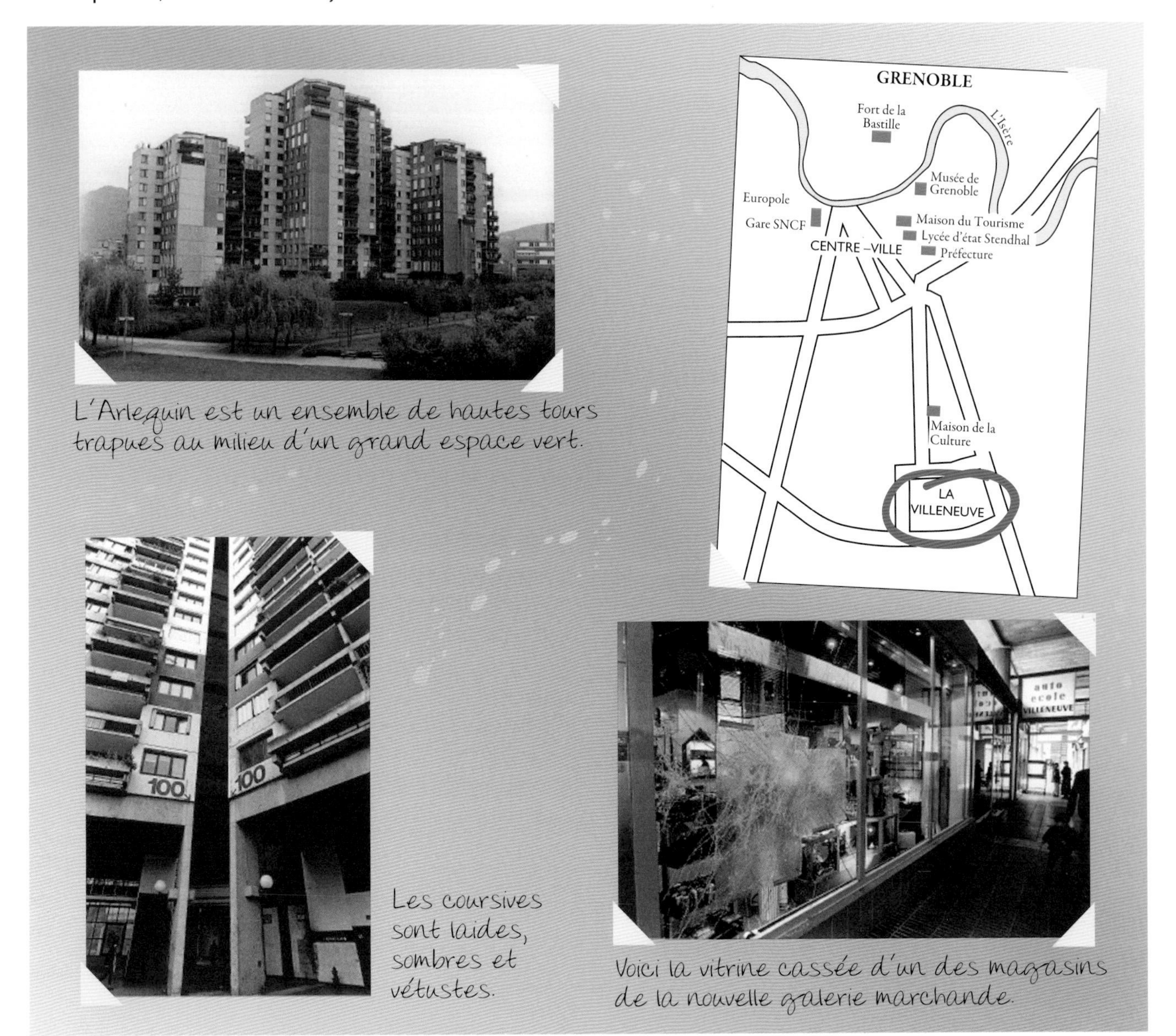

L'Arlequin est un ensemble de hautes tours trapues au milieu d'un grand espace vert.

Les coursives sont laides, sombres et vétustes.

Voici la vitrine cassée d'un des magasins de la nouvelle galerie marchande.

Activité 2.1.2

Regardez ces photos de quelques habitants de La Villeneuve. Décrivez chacun en deux ou trois phrases, en commençant par « Sur la photo... » et en utilisant autant d'adjectifs que possible.

Marnia Ben Fakir

Marzo Bertelle

Jean-François Parent

Agnès Archambault

1 Sur la photo, Marnia est...

2 Sur la photo, Jean-François est...

3 Sur la photo, Marzo est...

4 Sur la photo, Agnès est...

G2.1 Les adjectifs : un rappel

1 En français les adjectifs s'accordent avec les noms selon le genre et le nombre :

une femme **souriante**, des coursives **laides**

... sauf les adjectifs de couleur dérivés de noms :

des chemises **marron/orange**

2 Certains adjectifs ont des formes différentes au féminin, au masculin et au pluriel :

	Masculin	**Féminin**
Singulier	nouveau, nouvel	nouvelle
Pluriel	nouveaux	nouvelles

3 La majorité des adjectifs sont placés après le nom :

une famille **nombreuse**

4 Certains sont placés devant le nom :

un **grand** nombre

5 Certains adjectifs ont un sens différent selon leur position devant ou après le nom :

un **ancien** camarade (*a **former** friend*)

un immeuble **ancien** (*an **old** building*)

6 Avec une paire d'adjectifs voici comment les organiser autour du nom :

(a) Si la paire est formée de deux adjectifs du type décrit en (4) ci-dessus, ils restent ensemble avant le nom :

un **bon petit** café

(b) Si la paire est formée d'un adjectif du type (4) et d'un adjectif du type (3), l'adjectif (4) se place avant le nom, et le (3) après :

un **grand** centre **commercial**

(c) Si les deux adjectifs sont placés après le nom il faut ajouter « et » quand chacun a une valeur différente :

un prix **raisonnable et accessible**

... sauf quand ils sont interdépendants :

un projet **social local**

7 Dans la description des parties du corps, si un adjectif est utilisé n'oubliez pas l'article défini :

elle a **les** cheveux **courts**

Activité 2.1.3

A

Pour vous préparer à travailler la cohésion d'une lettre, trouvez d'abord pour chaque expression (1–9) la description qui convient le mieux.

1 Je vous prie d'agréer...

(a) C'est une formule de début de lettre. ☐

(b) C'est une formule de clôture de lettre. ☐

2 enfin

(a) Cet adverbe se trouve généralement au milieu d'une énumération. ☐

(b) Cet adverbe se trouve généralement à la fin d'une énumération. ☐

3 également

(a) Cet adverbe suit un élément d'une énumération. ☐

(b) Cet adverbe introduit généralement le premier élément d'une énumération. ☐

4 Je me tiens à votre disposition.

(a) C'est une formule qui permet de s'autoprésenter en début de lettre. ☐

(b) C'est une formule qui invite un contact ultérieur et se trouve vers la fin d'une lettre. ☐

5 La qualité de la vie s'y dégrade.

(a) L'utilisation du pronom « y » indique que cet argument sur la qualité de la vie s'applique à un lieu mentionné dans la partie de la lettre qui précède. ☐

(b) L'utilisation du pronom « y » indique que cet argument sur la qualité de la vie s'applique à un lieu mentionné dans l'adresse de la lettre. ☐

6 Un climat d'insécurité règne dans ce quartier.

(a) Grâce au démonstratif « ce », nous savons que le quartier en question est celui de l'auteur. ☐

(b) Grâce au démonstratif « ce », nous savons que le quartier en question a déjà été mentionné. ☐

7 Nous demandons de plus...

(a) L'expression adverbiale « de plus » s'utilise pour ajouter une suite à un ou des éléments déjà évoqués. ☐

(b) L'expression adverbiale « de plus » s'utilise pour conclure la liste des éléments déjà évoqués. ☐

8 En conséquence...

(a) Cette expression adverbiale introduit la cause d'un problème déjà évoqué dans la lettre. ☐

(b) Cette expression adverbiale introduit le résultat d'un problème déjà évoqué dans la lettre. ☐

9 Monsieur le Maire,

(a) C'est la formule d'ouverture d'une lettre à un maire. ☐

(b) C'est la signature d'une lettre rédigée par un maire. ☐

B

Remettez en ordre la lettre écrite par le président de l'Association des Locataires de La Villeneuve au maire, dénonçant la situation critique du quartier. La logique des arguments et les mots de liaison (c'est-à-dire ceux qui servent à relier les paragraphes entre eux) peuvent vous servir d'indices pour retrouver le bon ordre.

1 Je vous prie d'agréer, Monsieur le Maire, l'assurance de mes sentiments respectueux.

2 Nous demandons enfin des rondes de police régulières pour décourager le vandalisme et les vols, surtout la nuit.

3 Il faudrait également réparer les ascenseurs qui ne marchent pas. C'est la chose dont se plaignent le plus les personnes du troisième âge.

4 Je me tiens à votre disposition pour transmettre aux habitants toute proposition concernant ce problème.

5 La qualité de la vie s'y dégrade continuellement et les habitants, surtout les personnes âgées, vivent dans la peur. Certains n'osent plus sortir le soir.

6 À la suite de l'agression, la semaine dernière, dont a été victime l'une des habitantes de La Villeneuve, Madame Agnès Archambault, un climat d'insécurité règne dans le quartier.

7 Nous demandons de plus l'élimination des graffiti qui créent une image déprimante dans les coursives et les cages d'escaliers et qui incitent au vandalisme.

8 En conséquence, nous demandons d'abord à la municipalité de prendre des mesures pour améliorer l'éclairage sur le parking et à l'extérieur des bâtiments.

9 Monsieur le Maire,
Je me permets de vous écrire pour attirer votre attention sur certains problèmes de mon quartier dont la municipalité doit s'occuper d'urgence.

G2.2 « Dont » pour relier deux idées

« Dont » – *which, of which, of whom* – est un pronom relatif qui peut relier deux idées dans une seule phrase quand l'une de ces idées est exprimée par une expression comportant la particule « de » (ou « d' »). Par exemple :

Idée 1 : Agnès a été victime d'une agression.

Idée 2 : Elle raconte cette agression.

→ Agnès raconte l'agression **dont** elle a été victime.

Ici « dont » représente le nom « l'agression », qui est l'objet de l'expression « être victime de ».

Voici d'autres verbes et expressions suivis par « de » et des exemples d'utilisation de « dont » :

- s'occuper de

  Il y a dans mon quartier des problèmes **dont** la municipalité doit s'occuper d'urgence.

- rêver de

  Il a trouvé l'appartement **dont** il rêvait.

- parler de

  La locataire **dont** nous vous parlions hier habite au numéro 23.

- souffrir de

  Il faut prendre des mesures contre la pollution **dont** souffrent les arbres.

- avoir besoin de

  Dans le quartier je trouve facilement les choses **dont** j'ai besoin.

On trouve rarement l'appartement **dont** on rêve

Activité 2.1.4

A

Complétez les phrases suivantes en mettant une croix dans la position qui convient pour le pronom relatif « dont ». Attention, donnez une seule position par phrase.

1. L'architecture, c'est ☐ le métier ☐ j'ai longtemps ☐ rêvé.
2. J'ai loué ☐ un des logements ☐ elle s'occupe.
3. Ah ! ils ont enfin construit ☐ le beau monument ☐ la ville avait besoin !
4. As-tu visité ☐ le musée ☐ je t'avais parlé ?

B

Lisez bien les phrases suivantes. Identifiez le pronom relatif qui convient (« dont », « que » ou « qu' »). Vous pouvez éventuellement revoir l'utilisation du pronom objet direct « que » ou « qu' » dans votre livre de grammaire.

1. Pour apprendre le tango, il est allé à l'école de danse moderne (dont – que – qu') je lui avais parlé.
2. Le problème (dont – que – qu') il était question dans l'enquête, c'était celui des coursives.
3. L'appartement (dont – que – qu') vous avez vu ce matin est typique de La Villeneuve.
4. Il y a toutes les provisions (dont – que – qu') tu as besoin dans les petits magasins du quartier.
5. Les problèmes (dont – que – qu') Monsieur le Maire a fait la liste nous concernent tous.
6. Le dossier (dont – que – qu') l'architecte a présenté a été accepté par le conseil municipal.
7. La maison (dont – que – qu') elle rêve a trois chambres à coucher...
8. ... mais l'appartement (dont – que – qu') elle a trouvé n'en a que deux.

Activité 2.1.5

A

Lisez les phrases dans les bulles. Puis, dans un tableau, faites une liste des motivations des uns et des autres.

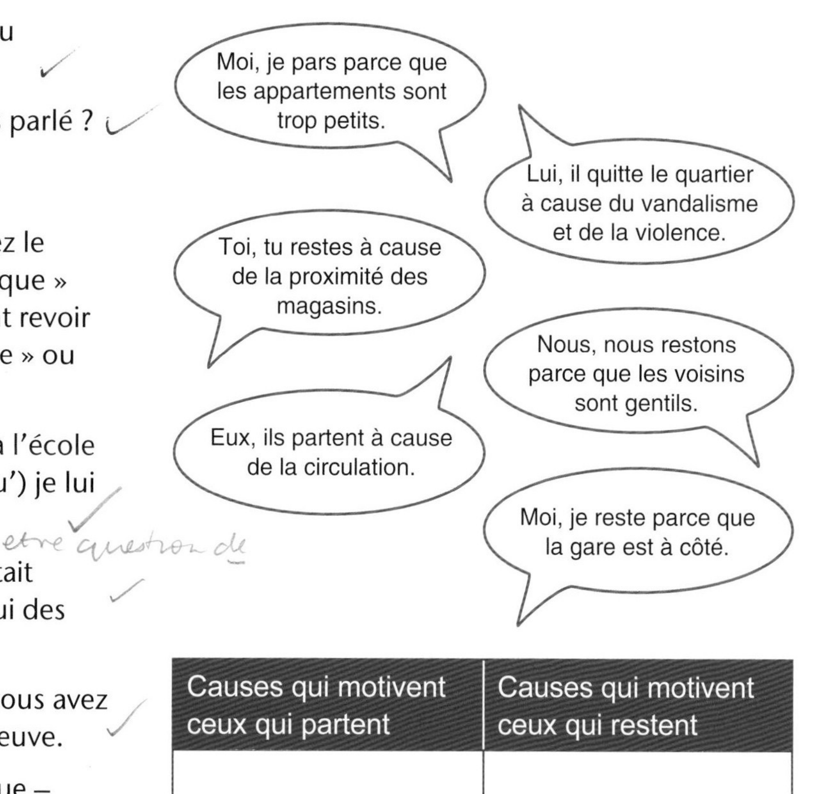

Causes qui motivent ceux qui partent	Causes qui motivent ceux qui restent

B

Relisez les phrases et expliquez brièvement en français la différence de grammaire (c'est-à-dire de construction) entre les expressions qui suivent « parce que » et les expressions qui suivent « à cause de ».

G2.3 Exprimer la cause

Pour exprimer la cause de quelque chose, on peut utiliser « à cause de » ou « parce que ». La différence est que :

- « à cause de » est suivi d'un nom :

  à cause du **vandalisme**

- « parce que » est suivi d'une phrase qui contient un verbe :

  parce que **les appartements sont trop petits**

Activité 2.1.6

A

Lisez le texte suivant – un blog écrit par un résident de La Grenière, une cité dont les habitants ont, selon lui, beaucoup à offrir malgré l'image qu'en donnent les médias – et remettez les résumés des quatre paragraphes dans le bon ordre.

Vocabulaire

s'engouffrent dans les brèches occupent la place laissée vide par les autres

Les quartiers vus autrement

Hier soir encore la télé nous invitait à nous lamenter sur le sort des quartiers. Promenés longuement dans La Grenière, ingérable car surpeuplée, entraînés le long de couloirs lugubres qui n'ont pas été repeints depuis vingt ans, forcés de contempler des carrosseries vandalisées, gratifiés du spectacle navrant de locaux volontairement incendiés, les téléspectateurs ont eu droit à 45 minutes de clichés journalistiques.

Ainsi dans leur grande majorité, ils ont pu se rassurer : ils n'ont pas besoin de repenser leurs préjugés, et leur vision des banlieues est saine et sauve. Endormi par la banalité des images, comment le public apprendra-t-il que les quartiers sont aussi des lieux propices à l'innovation sociale, à la créativité déployée par des animateurs résolument orientés sur les vrais besoins des collectivités ?

Pourquoi, par exemple, ne pas montrer le journal rédigé par les habitants de la cité valorisant leur lieu de vie, les activités de théâtre permettant aux plus frustrés d'extérioriser leur colère, les actions de sensibilisation menées contre certaines cultures qui imposent le mariage forcé ? Partout, des jeunes entreprenants et des bénévoles s'engouffrent dans les brèches, parfois avec une ou deux subventions municipales, toujours avec de la détermination. Pas de magasins locaux pour servir une population majoritairement marocaine ? Aucun problème, ils créent un site de vente spécialisé. Pas de radio diffusant la musique malienne préférée des résidents ? C'est l'occasion de monter Radio-Cité-Bama, qui passionne bientôt 10 000 auditeurs. Enfants en échec scolaire ? Pas de souci, des parents se mobilisent pour ouvrir des centres d'aide aux devoirs. Manque de bus pour aller au centre-ville ? Parfait, c'est le déclic pour que des petits malins montent une entreprise de taxis collectifs !

Les quartiers fourmillent de talent et de gens sympas même dans les zones les plus démunies. Ce ne sont pas les projets télégéniques qui manquent. Il suffit de prendre le temps de les traquer, en allant parler avec les résidents sur place. Un peu d'imagination, messieurs et mesdames des médias, filmons la cité autrement !

Posté par **Félix** le 12 juin à 20:38

1 Exemples de projets concrets

2 Résumé d'une émission de télé

3 Exhortation faite aux médias

4 Mise en accusation des médias

B

Donnez deux réponses pour chaque question, l'une avec la construction « parce que + verbe » et l'autre avec la construction « à cause de + nom ».

1 Pourquoi est-il impossible de gérer La Grenière ?

2 Pourquoi le public de la télévision est-il endormi ?

3 Pourquoi des actions de sensibilisation sont-elles menées ?

4 Pourquoi certaines cités ont-elles besoin de centres d'aide aux devoirs ?

5 Pourquoi des petits malins ont-ils monté une entreprise de taxis collectifs ?

C2.1 Les mots familiers/raccourcis

Dans le langage familier, mais surtout dans le « parler jeune », beaucoup de mots français sont raccourcis. Une partie du mot est coupée. Mais quelquefois, une lettre ou plusieurs lettres sont ajoutées en fin de mot et remplacent la terminaison initiale du mot. En voici plusieurs exemples dans le petit texte qui suit :

> Il est étudiant en **fac** (faculté) d'**archi** (architecture). C'est un **intello** (intellectuel). Il a l'air un peu **crade** (crasseux, sale) mais très **sympa** (sympathique). Il mange au **resto U** (restaurant universitaire) car pour lui c'est **gratos** (gratuit). Il ne regarde jamais la **télé** (télévision) mais il est toujours à son **ordi** (ordinateur). Je le vois cet **aprèsm** (après-midi), viens avec moi, je te le présente et on pourra prendre ensemble un **apéro** (apéritif), et après aller au **ciné** (cinéma).

Activité 2.1.7

Lisez le bref dialogue qui suit et associez chaque « on » avec la liste des personnes représentées par « on » ci-dessous.

1 **Titou** Maman, on peut prendre le bus pour aller au ciné samedi soir, Lulu et moi ?

2 **Sa mère** Tu sais bien que non, le cinéma est dans un quartier trop éloigné et de toute façon on part tous ce weekend chez Mamie.

3 **Titou** C'est nul, avec toi on ne peut jamais rien faire de sympa !

4 **Sa mère** Tu sais, quand on a la chance d'avoir des grands-parents, c'est bien de passer du temps avec eux. Mais je vais en parler à ton père...

5 ... et on te donnera une réponse cet aprèsm.

(a) Nous (la famille)

(b) Nous (ton père et moi)

(c) Les gens en général (et moi en particulier)

(d) Les gens en général (et toi en particulier)

(e) Nous (mon ami et moi)

O2.1 Les différents usages de « on »

1 « On » est une expression souvent utilisée dans le français de tous les jours au lieu de « nous ». Seul le contexte permet de savoir exactement combien de personnes sont représentées par « on » dans ce cas.

On a perdu la clé, **ma sœur et moi.**

On a raté le bus, **moi et tous mes copains.**

« On » est parfois mis en parallèle avec « nous », pour exprimer l'insistance :

Eux, ils adorent la vie en ville, mais **nous, on** a horreur de ça.

2 Non seulement « on » peut remplacer « nous », mais il peut aussi remplacer d'autres pronoms personnels, par exemple :

Alors mon pauvre chéri, **on** s'est fait mal aux genoux ? (« tu »)

3 Dans le français formel ou informel, « on » peut signifier « quelqu'un », « les gens en général » :

On a laissé un message sur le répondeur, mais je n'ai pas reconnu la voix. (« quelqu'un »)

En France, **on** a tendance à vivre en centre-ville. (« les gens en général »)

4 Quand « on » est le sujet d'un verbe à des temps composés qui prend « être », il s'accorde comme suit :

(a) Si « on » représente des personnes définies, et remplace « nous », « tu » ou « vous », le participe passé du verbe s'accorde avec le sujet remplacé par « on » :

On est allés au ciné. (« nous », un groupe masculin ou mixte)

On est rentrées très tard. (« nous », un groupe féminin)

Alors, les jeunes, **on est sortis** tard hier soir ? (« vous », un groupe masculin ou mixte)

On est revenus ensemble, Magda et moi. (« nous » : ici, la personne qui parle est un homme)

(b) Si « on » représente une entité indéfinie (« quelqu'un », « les gens en général »), le participe passé du verbe reste toujours au masculin singulier :

Après les tours des années soixante, **on est revenu** à des constructions plus légères.

5 Avec les adjectifs :

(a) Si « on » désigne des personnes définies, les adjectifs qui décrivent les personnes représentées par « on » s'accordent avec les noms :

Djamila et moi, on était **prêtes** avant les autres. (ici, la personne qui parle est une femme)

On est **idiots**, mon frère et moi, on a oublié l'anniversaire de maman ! (ici, la personne qui parle est un homme)

(b) Si « on » désigne une entité indéfinie (« quelqu'un », « les gens en général »), l'adjectif reste toujours au masculin singulier :

On est vraiment **admiratif** devant cette architecture. (tous les gens qui voient cette architecture)

6 Avec les possessifs :

(a) Si « on » veut dire « nous », il faut utiliser les adjectifs possessifs associés à « nous » (« nos, notre ») :

On invitera **notre** famille et **nos** voisins.

(b) Si « on » veut dire « tu/vous/il(s)/elle(s) », il faut utiliser « son/sa/ses/leur(s) » :

Les enfants, avant de monter dans le bus, on a bien tous **son** panier-repas ? (« vous »)

Finalement on a repeint les coursives, mais on a pris **son** temps ! (« ils », les responsables)

(c) Si « on » désigne une entité indéfinie (« quelqu'un », « les gens en général »), il faut utiliser « son/sa/ses » :

On ne peut pas passer **son** temps à avoir peur de l'avenir.

Comment attirer les clients même quand **on** est fermé

Activité 2.1.8

Réécrivez les phrases suivantes en un style moins formel, en remplaçant « nous » par « on » chaque fois que c'est possible. N'oubliez pas de changer la forme du verbe !

1 Nous avons décidé de déménager.

2 Venez avec nous, nous allons au centre commercial.

3 Si vous avez besoin de nous, nous serons au deuxième étage chez Christophe.

4 Ah, si nous avions de la place pour recevoir les amis !

5 Nous te verrons au Café de l'Avenue plus tard.

6 Nous, nous habitons avec nos parents et notre frère dans cette nouvelle maison.

Activité 2.1.9

A

Lisez la lettre ci-dessous, que Julia, qui n'aime pas beaucoup La Villeneuve, a envoyée à Thibault, qui projette de venir y habiter, et identifiez les adjectifs donnant une idée négative du quartier.

Mon cher Thibault,

J'ai bien reçu ta longue lettre où tu m'annonces que tu veux venir habiter à La Villeneuve. Malheureusement ce que je vais faire dans ma réponse, c'est te déconseiller de poursuivre ce projet. Je pense que ce n'est pas une bonne idée. Ce que je crois sincèrement, c'est que tu seras malheureux ici. Autrefois, La Villeneuve était très agréable, mais aujourd'hui ce quartier a mauvaise réputation. Il y a de graves problèmes : vandalisme, délinquance, criminalité et toxicomanie. Les bâtiments sont tristes. Ce que les gens disent ici, c'est que ça ressemble à la Grande Muraille de Chine. Les immeubles sont vieux (on les a construits dans les années soixante-dix) et les appartements sont invivables. Surtout, ce dont se plaignent les habitants, c'est que tout est sale. Il y a quelques boutiques et des clubs, mais c'est quand même un quartier assez déprimant. Et puis tout le monde connaît tout le monde, ce qui peut avoir des avantages, mais aussi de gros inconvénients ! Par contre ce qui est réussi, c'est le parc !

Désolée d'être aussi pessimiste. Dis-moi quand tu comptes venir, j'irai te chercher à la gare.

À bientôt

Amicalement,

Julia

B

Relisez la lettre de Julia en cherchant les pronoms relatifs « ce qui », « ce que » et « ce dont ». Encadrez-les.

G2.4 « Ce qui, ce que, ce dont »

« Ce qui », « ce que » et « ce dont » sont des pronoms relatifs qui peuvent relier deux idées dans une seule phrase. Par exemple :

Idée 1 : Ils n'ont pas tenu leurs promesses.

Idée 2 : Cela (le fait qu'ils n'ont pas tenu leurs promesses) prouve leur cynisme.

→ Ils n'ont **pas tenu leurs promesses, ce qui** prouve leur cynisme. (*They did not keep their promises, which proves how cynical they are.*)

« Ce qui » représente l'expression qui est le sujet du verbe. Ci-dessus, le verbe « prouver » a pour sujet l'expression en gras avant la virgule.

« Ce que » (ou « ce qu' ») représente l'expression qui est l'objet du verbe. Ci-dessous, le verbe « expliquer » a pour objet l'expression en gras avant la virgule.

Idée 1 : Elle a toujours gardé son sang-froid.

Idée 2 : Elle explique cela (qu'elle a toujours gardé son sang-froid) dans son livre.

→ Elle a **toujours gardé son sang-froid, ce qu'**elle explique dans son livre. (*She always remained calm, which she explains in her book.*)

« Ce dont » représente l'expression qui est l'objet d'un verbe avec « de ». Ci-dessous, le verbe « s'inquiéter de » a pour objet l'expression en gras avant la virgule.

Idée 1 : Il a annoncé son départ définitif.

Idée 2 : Je m'inquiète de cela (du fait qu'il a annoncé son départ définitif).

→ Il a annoncé **son départ définitif, ce dont** je m'inquiète. (*He announced that he was leaving for good, which worries me.*)

Attention à bien mettre une virgule avant « ce » dans tous ces cas.

« Ce qui, ce que, ce dont » avec « c'est/ce sont »

La construction « ce qui/ce que/ce dont ... c'est/ce sont » est souvent utilisée pour insister plus fortement sur une idée.

- Idée exprimée de manière neutre :

  La vue du haut des tours est spectaculaire. (*The view from the top of the towers is spectacular.*)

  Ils se plaignent de la vue sur les garages. (*They complain about the view over the garages.*)

- Idée exprimée de manière plus forte :

  Ce qui est spectaculaire **c'est** la vue du haut des tours. (*It's a really spectacular view from the top of the towers.*)

  Ce dont ils se plaignent **c'est de** la vue sur les garages. (*Their real complaint is the view over the garages.*)

Notez qu'avec « dont », comme vous voyez dans l'exemple ci-dessus, la particule « de » (ou « d', du, des ») est insérée après « c'est ».

Activité 2.1.10

A

Dans chaque phrase ci-dessous, identifiez l'expression qui est représentée par le pronom relatif et dites si elle est sujet ou objet du verbe en gras.

1. Il a dit qu'il ne connaissait pas le quartier, ce que je **crois** sincèrement.
2. Les voitures stationnent n'importe où, ce dont **se plaignent** les habitants.
3. Les appartements ont de larges balcons, ce qui **présente** des avantages.
4. De notre fenêtre nous avons une vue sur toute la ville, ce qui **est** très agréable.

B

Traduisez les quatre phrases ci-dessus.

C

Réécrivez les phrases suivantes en commençant par les pronoms « ce qui », « ce que » ou « ce dont », pour exprimer l'insistance. Les mots en gras vous indiquent quelle expression doit être représentée par un pronom relatif.

> **Exemple**
>
> **Elle déteste les ascenseurs.**
>
> → ***Ce qu'****elle déteste,* ***ce sont*** *les ascenseurs !*

1. Ils ont envie **d'un grand appartement**.
2. Vous rêvez **de fonder** un club de danse.
3. On a oublié **les contraintes** de la vie en banlieue.
4. Agnès a peur **d'être agressée**.
5. **Le grand parc** est idéal pour les enfants.
6. Je veux **une cuisine moderne**.

Activité 2.1.11

Votre ami Quentin vous a écrit pour vous annoncer sa venue à Valorme, quartier très semblable à La Villeneuve. Vous avez une opinion très optimiste sur Valorme. Répondez à Quentin, en 200 mots maximum, en insistant sur les côtés positifs du quartier. Inspirez-vous de la structure de la lettre de Julia dans l'activité 2.1.9, et utilisez le vocabulaire que vous avez rencontré dans la session jusqu'ici.

S2.1 Organiser son vocabulaire

Dans ce livre jusqu'ici, vous avez rencontré beaucoup de vocabulaire, en particulier des expressions pour décrire l'environnement urbain. Peut-être avez-vous déjà commencé à les organiser. Sinon, il vous sera utile de revoir le travail que vous avez effectué, et de vous constituer une liste des expressions qui vous semblent les plus utiles. Dans ce cas vous n'oublierez pas d'inclure et de signaler dans votre liste les termes que vous ne connaissiez pas et que vous avez cherchés pour effectuer les différents travaux associés à cette session.

Il est aussi utile d'organiser votre vocabulaire par thèmes. Par exemple, créez une page (sur papier ou sur ordinateur) pour les termes qui désignent les espaces et actions privées (intérieur d'un appartement, location, vente, etc.) et une autre pour les espaces publics (rues, commerces, parcs, urbanisme). Ou encore consacrez une page à ce qui concerne l'architecture (constructions belles/laides/bien conçues/mal conçues, etc.), et une autre à ce qui concerne les habitants (attitudes, heureux, malheureux, etc.). Votre choix dépendra de vos priorités personnelles. Ce serait une bonne idée de regarder les thèmes de vos prochains devoirs, et de collectionner du vocabulaire avec ces thèmes en vue.

Consultation : les résidents parlent et les municipalités s'engagent

Il est loin le temps où les autorités ignoraient complètement les avis de leurs administrés. Aujourd'hui une municipalité qui souhaite installer durablement la confiance parmi sa population doit consulter, et négocier. Vous allez voir comment Grenoble organise la concertation sur trois quartiers, y compris celui de La Villeneuve, et quels engagements elle prend pour assurer les habitants que leurs idées se traduiront par des actes.

Activité 2.1.12

A

Lisez ci-contre des extraits du site web officiel de la ville de Grenoble, et prenez quelques notes sur la chronologie de la consultation lancée à l'été 2003. Utilisez le calendrier ci-dessous pour prendre des notes sur les cinq principales étapes.

En juin–juillet	interview de 120 personnes …
En septembre	
En octobre	
En octobre–novembre	
En novembre	

B

Pendant la première étape de la consultation, on a réalisé une enquête audiovisuelle en interviewant les habitants. Composez cinq questions à poser spécifiquement aux Villeneuviens.

Les 5 étapes de la consultation

envoyer

imprimer

retour

1. Le temps de l'écoute (juin–juillet 2003)

550 personnes ont été contactées dont 120 ont accepté d'être interviewées (2/3 représentatives du secteur 6 et 1/3 du reste de la ville et des communes voisines). Ces interviews ont permis de réaliser une enquête audiovisuelle « Pour moi, Grenoble Sud... ».

Cette enquête d'une quarantaine de minutes, a servi à introduire les réunions publiques.

2. Le temps du dialogue (septembre 2003)

Trois réunions publiques ont été organisées sur La Villeneuve, le Village Olympique et Malherbe. 1 200 personnes y ont participé. Une véritable dynamique s'est instaurée sur ces quartiers.

Au plan du contenu des débats, chaque réunion s'est révélée différente, mais des éléments communs sont apparus : pas d'indifférence et un véritable espoir de la part des habitants, malgré les critiques.

À l'issue de ces réunions, 200 personnes se sont inscrites pour participer aux groupes de propositions sur 4 thèmes : sécurité, jeunesse, aménagement et urbanisme, vivre-ensemble.

3. Le temps des propositions (octobre 2003)

À l'issue des réunions publiques, deux réunions de groupes de travail ont été formés avec les habitants. L'objectif de ces groupes de propositions est de permettre aux habitants d'être acteurs du projet Grenoble Sud. 140 personnes ont participé à ces groupes et ont élaboré 269 propositions concrètes.

4. Le temps de l'analyse et de la construction (octobre–novembre 2003)

Les élus de la ville et les services municipaux travaillent sur le projet à partir des propositions des groupes de travail.

5. Le temps des décisions « Grenoble Sud, toute la ville s'engage » (novembre 2003)

Le 29 novembre au gymnase de la Piste a été organisé le « Forum Grenoble Sud », ouvert à tous. Ce forum a permis de restituer le fruit de la consultation aux habitants. Le Maire s'est engagé à annoncer rapidement les engagements de la Municipalité à court, moyen et long terme au regard de ces propositions.

(Direction de la communication, « Les 5 étapes de la consultation », Grenoble.fr, http://www.grenoble.fr/jsp/site/Portal.jsp?page_id=156, dernier accès le 1 octobre 2008)

C

Lisez les notes ci-dessous sur Marnia, Jean-François, Marzo et Agnès, qui apparaissent sur les photos de l'activité 2.1.2, et qui ont tous participé à la réunion publique de La Villeneuve. Inventez deux ou trois phrases que chacun d'entre eux a pu prononcer devant l'auditoire, expliquant la cause de sa présence à la réunion. Utilisez vos propres mots mais veillez à inclure les expressions « parce que/qu' » et « à cause de ».

1. Marnia (une mère de famille nombreuse avec cinq enfants d'âge scolaire) : se plaint de son appartement trop bruyant, et de la chambre des enfants, trop petite.
2. Jean-François (un architecte membre de l'équipe responsable de la construction du quartier) : reconnaît certaines erreurs d'urbanisme qui ont provoqué le départ de plusieurs familles, désire améliorer le quartier.
3. Marzo (un passionné de tango) : craint la démolition de la salle de danse, veut encourager les activités artistiques collectives.
4. Agnès (une victime agressée un soir) : demande la présence de vigiles, pense que les voyous sont attirés par les parkings sans surveillance.

Activité 2.1.13

A

Lisez les six engagements de la petite ville de Hautval et reliez chaque expression ci-contre à son équivalent.

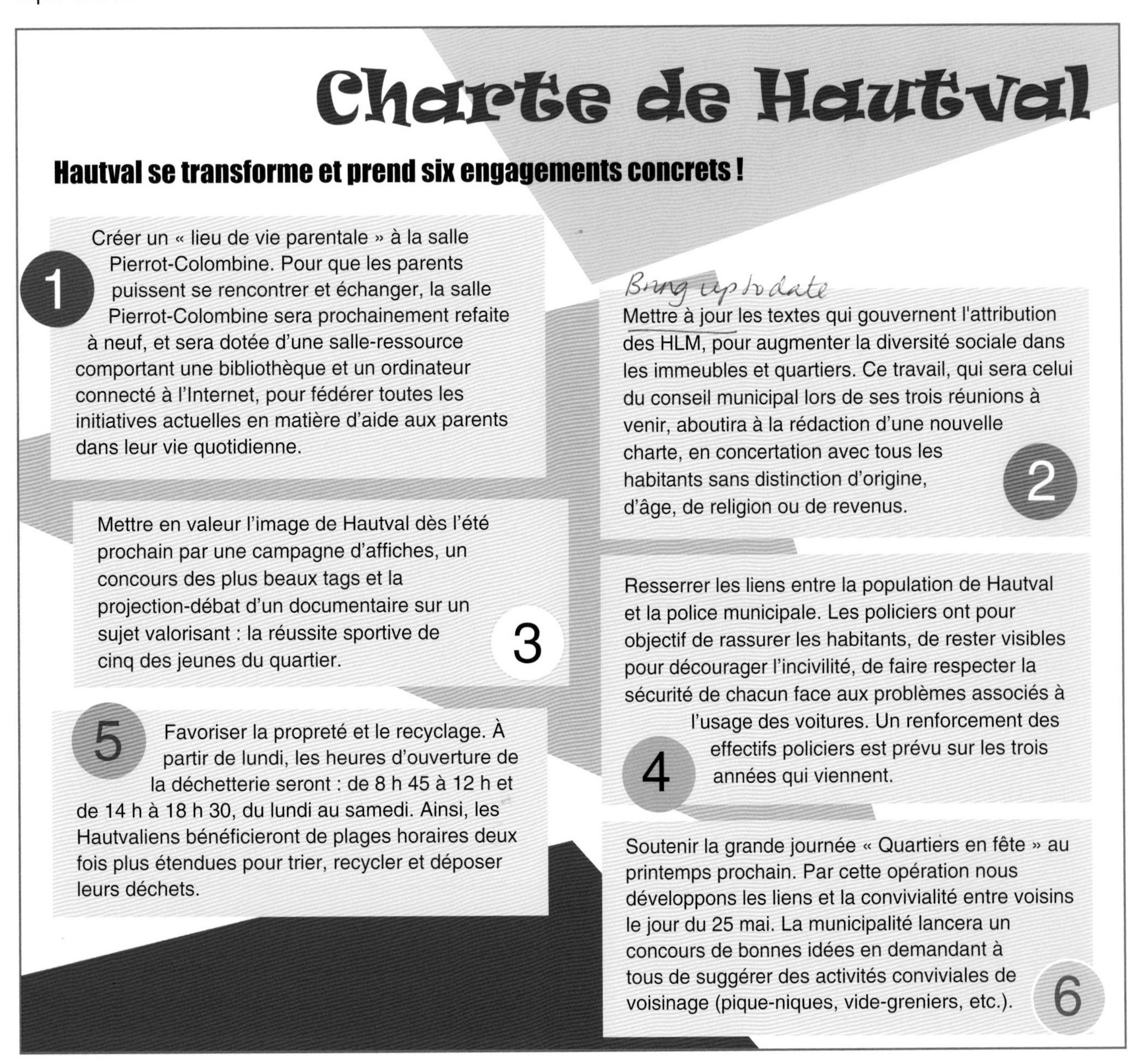

Charte de Hautval

Hautval se transforme et prend six engagements concrets !

1 Créer un « lieu de vie parentale » à la salle Pierrot-Colombine. Pour que les parents puissent se rencontrer et échanger, la salle Pierrot-Colombine sera prochainement refaite à neuf, et sera dotée d'une salle-ressource comportant une bibliothèque et un ordinateur connecté à l'Internet, pour fédérer toutes les initiatives actuelles en matière d'aide aux parents dans leur vie quotidienne.

2 Mettre à jour les textes qui gouvernent l'attribution des HLM, pour augmenter la diversité sociale dans les immeubles et quartiers. Ce travail, qui sera celui du conseil municipal lors de ses trois réunions à venir, aboutira à la rédaction d'une nouvelle charte, en concertation avec tous les habitants sans distinction d'origine, d'âge, de religion ou de revenus.

3 Mettre en valeur l'image de Hautval dès l'été prochain par une campagne d'affiches, un concours des plus beaux tags et la projection-débat d'un documentaire sur un sujet valorisant : la réussite sportive de cinq des jeunes du quartier.

4 Resserrer les liens entre la population de Hautval et la police municipale. Les policiers ont pour objectif de rassurer les habitants, de rester visibles pour décourager l'incivilité, de faire respecter la sécurité de chacun face aux problèmes associés à l'usage des voitures. Un renforcement des effectifs policiers est prévu sur les trois années qui viennent.

5 Favoriser la propreté et le recyclage. À partir de lundi, les heures d'ouverture de la déchetterie seront : de 8 h 45 à 12 h et de 14 h à 18 h 30, du lundi au samedi. Ainsi, les Hautvaliens bénéficieront de plages horaires deux fois plus étendues pour trier, recycler et déposer leurs déchets.

6 Soutenir la grande journée « Quartiers en fête » au printemps prochain. Par cette opération nous développons les liens et la convivialité entre voisins le jour du 25 mai. La municipalité lancera un concours de bonnes idées en demandant à tous de suggérer des activités conviviales de voisinage (pique-niques, vide-greniers, etc.).

Vocabulaire

HLM habitation à loyer modéré

1	prochainement	(a)	qui permet aux gens de prendre plaisir à des activités appréciées par tous
2	en concertation avec	(b)	période de temps (exprimée en heures)
3	incivilité	(c)	parler ensemble
4	plage horaire	(d)	qui montre les choses sous un jour positif
5	valorisant	(e)	bientôt
6	fédérer	(f)	en consultant
7	convivial	(g)	manque de courtoisie
8	échanger	(h)	centraliser, rassembler

B

Dites quels engagements de la ville de Hautval peuvent être reliés aux thèmes suivants en associant les lettres ci-dessous aux numéros des paragraphes. Attention, deux des thèmes ne figurent pas dans le texte.

Exemple

Hautval, plus propre et mieux entretenu – *paragraphe 5*

(a) Hautval, plus solidaire et plus convivial

(b) Hautval, pour plus de sécurité

(c) Hautval, mobilisé pour l'éducation et l'emploi

(d) Hautval, davantage ouvert sur le centre-ville et l'agglomération

(e) Hautval, pour développer tous les talents

C

Chaque engagement de la municipalité de Hautval commence par un verbe à l'infinitif. Identifiez ces infinitifs et trouvez un synonyme pour chacun.

D

Identifiez des problèmes qui existent dans votre ville. En imitant le style de la Charte de Hautval, donnez deux engagements que devront prendre les élus de votre ville pour améliorer le cadre de vie et précisez quelques détails pour leur réalisation. Pensez à utiliser des verbes à l'infinitif.

Session 2 L'immobilier : acheter, louer, construire

Après les aspects sociaux de l'habitat urbain en France, vous allez maintenant aborder le monde de l'immobilier, puis vous en étudierez un exemple particulier, celui de l'immobilier à Caen et en Basse-Normandie. Enfin vous suivrez les tribulations de deux étrangers qui ont acheté la maison de leurs rêves en France.

Points clés

- G2.5 Le pronom démonstratif « celui, celle, ceux, celles » avec « qui, que, dont »
- C2.2 Parler du logement
- C2.3 Acheter, louer
- C2.4 Les notaires
- O2.2 Le vocabulaire des publicistes : les adjectifs employés comme noms
- O2.3 Utiliser le futur pour exprimer des généralités

Les annonces immobilières : les mots du rêve

Dans la section qui suit, vous allez étudier la façon dont les professionnels de l'immobilier essaient de faire rêver leurs clients potentiels. Vous apprendrez à comprendre ce que veulent dire exactement les petites annonces. En même temps, vous apprendrez à décoder le langage parfois un peu délirant des publicités immobilières.

Activité 2.2.1

A

Lisez ci-contre le prospectus pour les Jardins du Soleil, une nouvelle résidence à Hautval, et remarquez les mots et expressions qui les mettent en valeur.

B

Regardez bien la publicité. Faites-vous une idée précise de l'architecture de cette résidence, à l'aide du texte ainsi que de l'image, et répondez « vrai » ou « faux » aux affirmations suivantes.

		Vrai	Faux
1	C'est en bordure de la ville.	☐	☐
2	Les intérieurs sont lumineux.	☐	☐
3	Les appartements ne sont pas très spacieux.	☐	☐
4	Cette résidence est tout près de la gare.	☐	☐
5	Pour aller au centre il n'y a que les taxis.	☐	☐
6	Il n'y a pas d'école dans le quartier.	☐	☐
7	Les bâtiments sont vétustes et anciens.	☐	☐

« Métamorphosez votre vie... »

Appartements du studio au 6 pièces
Terrasses et balcons
Parking souterrain

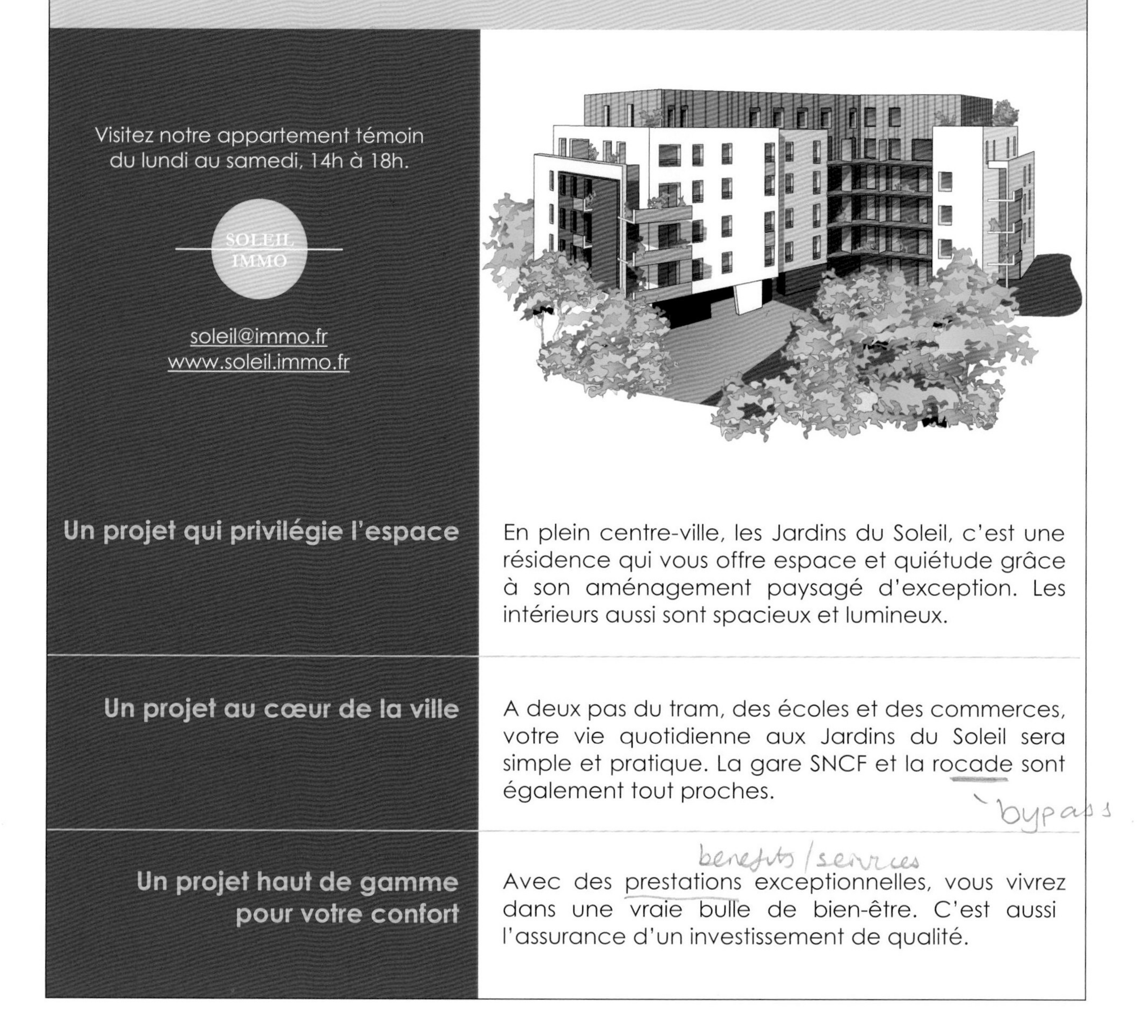

Activité 2.2.2

A

Un ami prépare une brochure pour les appartements des Jardins du Soleil et vous consulte sur l'impact de son texte. Dans chaque paire de phrases ci-dessous, cochez celle qui, à votre avis, convient le mieux au style des brochures publicitaires.

1 (a) Achetez un appartement dans les Jardins du Soleil ! ☑
  (b) La société Les Jardins du Soleil vend des appartements. ☐

2 (a) Ces appartements ne sont heureusement pas anciens. ☐
  (b) Ces appartements sont ultramodernes. ☑

3 (a) Ils sont situés dans un beau site. ☐
  (b) Ils ont une vue imprenable sur la chaîne de Valledone. ☑

4 (a) L'architecte a pensé à votre confort avant toute chose. ☑
  (b) Grâce à leur architecture ces appartements sont confortables. ☐

5 (a) Non, vous ne rêvez pas : vous êtes à la campagne en plein centre-ville ! ☑
  (b) Les appartements sont pour les gens qui aiment la vie à la campagne et la vie urbaine. ☐

6 (a) Si vous n'avez pas de voiture vous pourrez utiliser le tramway, qui est à proximité. ☐
  (b) Pour vous déplacer, c'est facile : le tram est à deux pas. ☑

7 (a) Achetez vite, avant qu'il ne soit trop tard ! Vous ne le regretterez pas. ☑
  (b) C'est une bonne idée d'acheter maintenant. ☐

B

En vous inspirant des phrases que vous avez choisies, rédigez une courte brochure publicitaire pour un site que vous connaissez (lieu résidentiel, centre de loisirs, complexe artistique, ou autre) ou un site que vous avez imaginé. Écrivez entre 100 et 150 mots.

Activité 2.2.3

A

Voici certaines abréviations utilisées dans les petites annonces de ventes ou locations immobilières. Reliez chacune à sa version longue.

1	m²	(a)	maison individuelle
2	séj	(b)	rez-de-chaussée
3	tb état	(c)	mètre carré
4	asc	(d)	excellent
5	expo	(e)	ascenseur
6	exc	(f)	salle de séjour
7	mais ind	(g)	très bon état
8	rdc	(h)	exposition

B

Réécrivez les petites annonces suivantes en faisant deux ou trois phrases complètes pour chacune. Reproduisez les chiffres comme ils sont. Voici une annonce en exemple.

Exemple

SUD DE CAEN. Vends jolie maison de 1990 en exc état sur parcelle de 580 m². Séjour de 27 m², 4 ch. dont 1 en rdc, sdb et wc sép. 276 000€.

Je vends une jolie maison de 1990 en excellent état, sur une parcelle de 580 mètres carrés, située au sud de Caen. Elle a une salle de séjour de 27 mètres carrés, 4 chambres dont l'une est au rez-de-chaussée, et une salle de bains avec toilettes séparées. Le prix est de 276 000 euros.

1 PLEIN CENTRE. Vendons appartement de type F3 situé au premier étage de l'immeuble. Séjour salon de 31 m² avec balcon sud. Deux chambres, cuisine aménagée. Cave et emplacement de stationnement privatif. 170 000€.

2 AU PORT. À louer appt F3, gd standing, séj balc + 2 chambres, 3ème ét avec asc, expo plein sud, cave, parking, tb état, sans nuisances. Loyer à débattre, agence s'abstenir. F. Radiguet, email radig34@netorg.com.

3 BEL ENVIRONNEMENT. Vends mais ind, calme, verdure, vue Jardin des Plantes, 110 m², chauff fioul, garage, cave. 180 200€. Agence Les Tilleuls, 3 place des Tilleuls, 00 76 34 56 10.

C2.2 Parler du logement

En France la description « F1, F2, F3 », etc. est communément utilisée pour spécifier le nombre de pièces d'un logement. Un **F1** a une pièce (séjour qui fait aussi chambre à coucher), un **F2** a deux pièces (séjour + 1 chambre), un **F3** a trois pièces (séjour + 2 chambres), etc. Dans cette appellation, on suppose qu'il y a aussi une cuisine (intégrée ou non dans le séjour), et une salle d'eau/toilettes.

Au lieu de F2, F3, on dit souvent **un deux pièces, un trois pièces**, etc.

Un logement qui est situé sur un seul niveau est dit **de plain-pied**, et un logement qui a deux étages et un escalier intérieur est un **duplex**. Par exemple :

> Nos logements pour personnes à mobilité réduite sont **de plain-pied.**

Un **studio** est un petit appartement (ou F1), et un **meublé** est un appartement que l'on loue avec les meubles dedans. Un **pavillon** est une maison individuelle, généralement en bordure de ville et entourée d'un jardin (petit ou grand).

Le mot **logement** désigne les appartements et les maisons, mais quand on parle de **logement social** (voir session 4), on pense plutôt à des appartements, parce que les maisons et pavillons sont le plus souvent privés, et non pas gérés par les municipalités.

Une personne qui habite, contre paiement d'un loyer, dans le logement d'un autre est un(e) **locataire**, et une personne qui possède son logement est un(e) **propriétaire.** Une **copropriété** est une résidence où se trouvent des appartements privés, et dont les propriétaires possèdent en commun certaines parties (vestibule, ascenseurs, couloirs et espaces verts autour).

Une phrase idiomatique : **faire le tour du propriétaire** veut dire visiter tout les coins d'un logement, ou d'un endroit. En accueillant un ami pour sa première visite chez vous, vous pouvez dire : « Allez, je te fais faire le tour du propriétaire ! ». Si votre logement est petit, la phrase sera comprise humoristiquement !

C

Lisez l'annonce suivante, qui est un peu trop optimiste, et rédigez une évaluation beaucoup plus critique de cette propriété, en prenant votre inspiration dans les « Quelques questions à se poser... » suggérées dans le tableau qui suit. Écrivez entre 150 et 200 mots.

> VALLÉE AUX LOUPS. Adorable maisonnette de caractère à rafraîchir, entre Josquin et Lanouan. Au rez-de-chaussée : petite pièce à reconvertir en cuisine/séjour ; à l'étage : grenier avec bon potentiel. Ruine attenante sur beau terrain arboré. Énorme potentiel. Site très tranquille. Idéale pour les vacances. Fosse septique. Eau à proximité. Superficie 24 m^2. Prévoir assainissement et raccord électrique. Prix à saisir.

Quelques questions à se poser...

- Pourquoi une maisonnette et pas une maison ?
- Pourquoi a-t-elle besoin d'être rafraîchie ?
- Y a-t-il suffisamment de place dans une « petite » pièce pour mettre à la fois une cuisine et un séjour ?
- Que faudra-t-il réellement faire à l'étage ?
- Quel est l'état des services (eau, électricité, tout-à-l'égout) ?
- Qu'est-ce qu'on peut créer comme pièces sur une surface de 24m^2 ?
- Qu'est-ce qui se cache sous la description « très tranquille » ?

Activité 2.2.4

Voici plusieurs annonces parues dans un journal local à Caen. Deux annonces sont tirées de la rubrique « Demandes ». Cinq annonces sont tirées de la rubrique « Offres ». Trouvez l'offre qui correspond à chacune de ces deux demandes. Vous pourrez deviner le sens de certaines des abréviations.

Demandes

1 Fam 2 enf cherche appt F3 ou préf F4, prox comm et centre Caen, prox trans, gar.

2 Couple sans enf cherche mais ind, 2 chs au minimum, gd séj/gd terr.

Offres

(a) Caen Port beau 100 m^2, 3 chs, cuis équip, bonne expo, parfait état/poss gar, px : 450 000€.

(b) Caen centre-ville F4. Chauff élec, asc, prox tram et crèche.

(c) Rive droite prox village, appt F3 gd standing, garage, terrasse, rez de jardin, 59 m^2, soleil, commodités, à voir vite ! Tél : 76 88 90 56.

(d) Verte Vallée villa construite en 1992. 200 m^2 habitable. 3 chs sur 5000 m^2 terr, bureau, séj 50 m^2, 2 sdb.

(e) Place Saint-Sauveur. Bel appart, ancien gd confort, chauff gaz. Cave/grenier. Px à déb.

Activité 2.2.5

Rédigez une courte publicité, en exagérant follement les attraits de la maison dont le dessin et le plan sont reproduits ci-dessous. Soyez imaginatif(ive) et n'ayez pas peur de délirer ! Faites des phrases complètes et limitez-vous à une centaine de mots. Vous pouvez utiliser un style condensé, en omettant les articles et certains verbes, mais donnez les noms et adjectifs en entier.

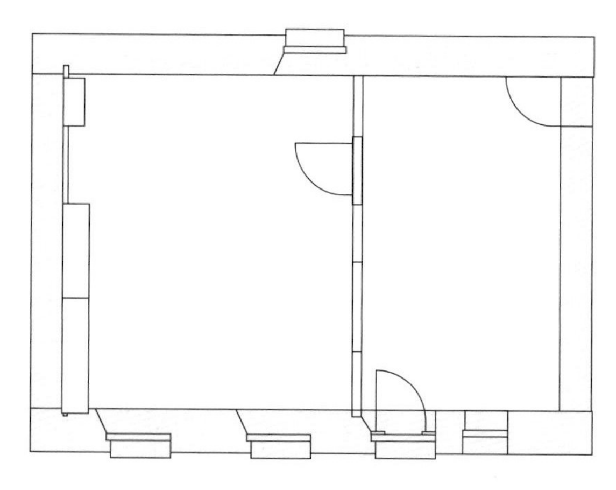

C2.3 Acheter, louer

La proportion de propriétaires, comparée à celle des locataires, varie selon les professions et selon l'âge. Cependant on peut dire qu'en France depuis les années quatre-vingt, en moyenne un ménage sur deux est propriétaire de son logement. Dans d'autres pays, comme le Royaume-Uni, par contre, on est depuis longtemps très centré sur l'accession à la propriété. Par exemple, près de deux ménages britanniques sur trois sont propriétaires. À certaines époques, les gouvernements français ont encouragé l'accès à la propriété (par exemple avec des prêts à taux zéro), ce qui a permis à des ménages aux revenus modestes de devenir accédants.

La situation du logement : l'exemple de Caen et sa région

Vous allez maintenant étudier de façon plus globale le paysage immobilier dans et autour de Caen : qui achète, où exactement, et comment fluctuent les prix.

Activité 2.2.6

Lisez le texte suivant sur les chiffres clés de l'immobilier, analysés par un notaire, et complétez les phrases de la page suivante en cochant la bonne réponse.

Q : Quel bilan tirez-vous des prix de l'immobilier dans le Calvados en 2006 ?

R : Les prix ont continué d'augmenter de façon très significative, puisque les maisons ont vu leur prix de vente grimper de 12,4% et les appartements de 22,4% entre le 1 octobre 2005 et le 30 septembre 2006. Cette augmentation est toutefois en léger recul par rapport à celle relevée l'année précédente pour les appartements.

[...]

Q : Précisément, pouvez-vous nous indiquer comment se situe la ville de Caen, en terme de prix, par rapport à d'autres grandes villes de France ?

R : Les notaires ont élaboré un classement de 33 villes françaises de plus de 100 000 habitants. Bien entendu, les prix les plus élevés ont été relevés dans le sud de la France où Aix en Provence et Nice occupent le haut du classement. Sur 33 villes, Caen se situe à la 16ème place, derrière Reims et avant Dijon. Les villes du Havre et de Rouen occupent quant à elles les 21ème et 23ème places.

Au vu de ce classement, on peut considérer que le prix au m^2 des appartements caennais est un prix moyennement élevé.

(Notaires de Basse-Normandie, « Calvados : le marché immobilier en 2006 », *Les chiffres clés par les notaires de l'immobilier : Bilan du marché immobilier 2007*, p.4)

1 Les prix immobiliers ont...
   (a) baissé ☐
   (b) augmenté ☐

2 Les appartements ont vu leur prix...
   (a) diminuer ☐
   (b) grimper ☐

3 L'année précédente, les prix des appartements avaient augmenté...
   (a) plus ☐
   (b) moins ☐

4 Au sud de la France les prix sont...
   (a) plus élevés qu'au nord ☐
   (b) moins élevés qu'au nord ☐

5 Le prix des appartements à Caen est...
   (a) élevé ☐
   (b) moyennement élevé ☐
   (c) bas ☐

O2.2 Le vocabulaire des publicistes : les adjectifs employés comme noms

Souvent on utilise des adjectifs employés comme des noms pour exprimer des qualités abstraites. L'emploi (parfois un peu excessif) de ces adjectifs pour remplacer des noms caractérise le jargon, par exemple des publicistes, des agents immobiliers ou des urbanistes. Ils sont toujours au masculin singulier :

- le neuf
- l'ancien
- l'existant
- l'immobilier
- le moderne
- le rustique
- le contemporain

Activité 2.2.7

Étudiez la carte et les informations ci-dessous, sur les prix de l'immobilier à Caen, et répondez aux questions qui suivent.

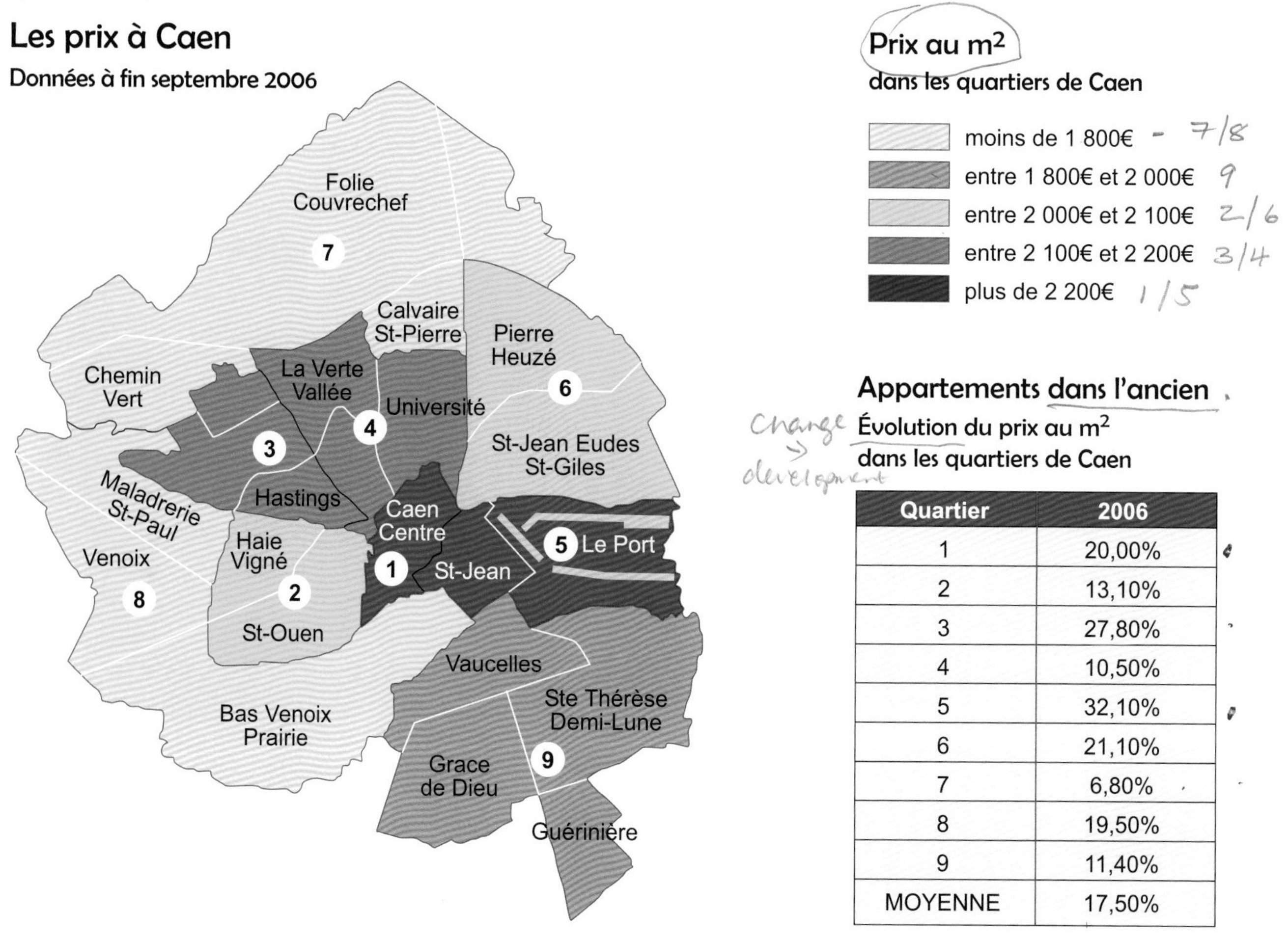

Appartements dans l'ancien

Évolution du prix au m²
dans les quartiers de Caen

Quartier	2006
1	20,00%
2	13,10%
3	27,80%
4	10,50%
5	32,10%
6	21,10%
7	6,80%
8	19,50%
9	11,40%
MOYENNE	17,50%

(Notaires de Basse-Normandie, « Calvados : quelques chiffres », *Les chiffres clés par les notaires de l'immobilier : Bilan du marché immobilier 2007*, p.4)

Vocabulaire

l'ancien les constructions de plus de cinq ans (les nouvelles, de cinq ans ou moins, sont souvent désignées par l'expression « le neuf »)

1 D'après le prix au mètre carré, quels sont les quartiers les plus chers à Caen ?

2 Et les moins chers ?

3 Selon l'évolution du prix au mètre carré, quels sont les deux quartiers où les prix ont le plus changé ?

4 Et le quartier où les prix ont le moins changé ?

Activité 2.2.8

A

Regardez les deux camemberts ci-dessous, qui illustrent les préférences des acquéreurs de maisons individuelles et d'appartements dans le département où se trouve Caen, le Calvados. Puis répondez aux deux questions qui suivent.

Profession des acquéreurs

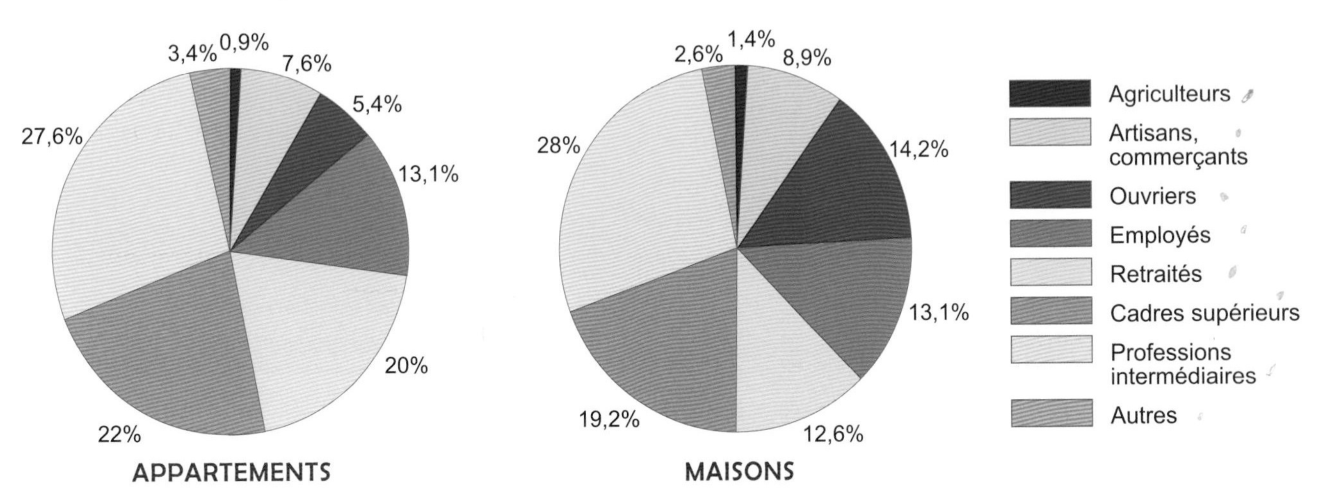

(Notaires de Basse-Normandie, « Calvados : quelques chiffres », *Les chiffres clés par les notaires de l'immobilier : Bilan du marché immobilier 2007*, p.5)

1. Donnez deux types d'acquéreurs qui achètent presque autant de maisons que d'appartements et diffèrent de moins de 2% dans ce choix.
2. Donnez deux types d'acquéreurs qui, au contraire, montrent des différences marquées pour l'achat de maisons par rapport à l'achat d'appartements, et diffèrent de plus de 5% dans ce choix.

B

Rédigez un court texte de 100 mots maximum dans lequel vous commenterez les différences entre les acheteurs immobiliers du Calvados, et vous direz, en utilisant votre imagination, pourquoi ces différences existent.

Acheter, rénover, récupérer

Les maisons anciennes sont à la mode. Les Français les achètent comme résidence principale ou secondaire, et les étrangers comme maison de vacances. Avec l'acquisition d'une propriété qui a, certes, du cachet, mais aussi de très nombreuses années de vie derrière elle, vient l'obligation de rénover. Et parfois la rénovation prend des allures de récupération, quand les propriétaires sont soucieux de n'utiliser que des matériaux anciens, pour des raisons esthétiques et écologiques. Tels sont les thèmes de cette section.

Activité 2.2.9

Lisez ce témoignage d'une Britannique qui a acheté une maison en France, et identifiez les professionnels et les formalités dont elle parle.

> Après de longues recherches dans le Languedoc, nous avons eu un coup de cœur en apercevant pour la première fois une petite maison à Caldoires. Celle-ci répondait à tout ce dont nous avions besoin. Elle était vieille de 200 ans et les précédents propriétaires avaient préservé beaucoup de ses caractéristiques d'origine. De plus, elle se trouvait dans un petit village de 400 personnes, dont les habitants étaient très accueillants – des vignerons pour la plupart.
>
> Mon compagnon et moi sommes passés par toutes les étapes de l'achat d'une maison en France. Nous avons eu la chance d'avoir un notaire super-compétent grâce à qui nous avons obtenu un PACS. Il nous a aussi donné des conseils pour investir notre argent sans laisser l'un d'entre nous dépourvu en cas de décès de l'autre. C'était très important puisque les lois françaises sur les successions sont très compliquées.
>
> Notre comptable français, lui aussi, a été de bon conseil et, dès notre arrivée, nous avons fait une déclaration d'impôts. Mon compagnon enseigne l'anglais dans une école de commerce à Montpellier. Quant à moi, je donne des cours individuels, je fais du travail bénévole et je m'occupe de la location de notre petit studio à partir de Pâques jusqu'au mois d'octobre.

Vocabulaire

un PACS un pacte civil de solidarité (offrant aux couples qui vivent ensemble sans être mariés certaines protections juridiques semblables à celles qui régissent le statut familial et les biens des couples mariés)

C2.4 Les notaires

Un notaire est un officier public. C'est lui qui conférera un statut formel aux contrats de mariage, d'achat ou de vente, et aux actes qui expriment les dispositions légales au moment des héritages. Il sera indispensable de s'adresser à un notaire pour toute transaction concernant la propriété immobilière. Un notaire pourra également agir comme négociateur dans une transaction immobilière. En aucun cas il ne traitera d'affaires criminelles.

Le lieu de travail du notaire s'appelle une étude, et ses assistants sont des clercs de notaire. On reconnaît les études de notaires à leur enseigne qui symbolise la profession notariale.

L'emblème des notaires

O2.3 Utiliser le futur pour exprimer des généralités

Il **sera** indispensable de s'adresser à un notaire pour toute transaction concernant la propriété immobilière.

Le futur est normalement employé pour parler d'événements qui doivent se produire à l'avenir. Mais il est aussi de plus en plus utilisé au lieu du présent pour parler de quelque chose qui a une valeur permanente ou universelle. Dans l'exemple ci-dessus, le futur indique que l'obligation de recourir à un notaire est valable aujourd'hui, elle le sera demain, après-demain et ainsi de suite. C'est une obligation permanente.

En France, souvent, les gens **loueront** leur appartement toute leur vie, et n'**achèteront** qu'au moment de prendre leur retraite.

Dans ce deuxième exemple, le futur indique une tendance générale des habitudes de logement des Français.

Pour la conjugaison des verbes au futur, reportez-vous à votre livre de grammaire.

Activité 2.2.10

A

Lisez « La lettre de mon notaire » et notez sur une feuille, en imitant le tableau ci-dessous :

1 les biens immobiliers évoqués dans le texte ;

2 les risques et nuisances sur lesquels il faut fournir des informations, si vous vendez une propriété en France.

Biens immobiliers	Risques et nuisances

La lettre de mon notaire

Vous cherchez un logement ? Parlez-en à votre notaire

Vous avez un bien immobilier (terrain, appartement, maison, bâtiment artisanal, agricole, industriel, commercial, etc.) à vendre ou vous recherchez un bien immobilier à acheter. Les transactions de particulier à particulier sont tout à fait possibles mais sont de plus en plus délicates à mener en toute sécurité. Le nombre de documents et d'informations obligatoires à obtenir en vue d'une mise en vente est devenu très important : diagnostics ou constats techniques relatifs au plomb, à l'amiante, aux termites, aux performances énergétiques, à l'installation de gaz, à la superficie, aux risques naturels ou technologiques, etc. ...

Tout manquement à ces obligations peut avoir des conséquences très importantes, tant pour le vendeur que l'acheteur. Le juge, selon le cas, réduira le prix de vente et parfois même annulera l'opération entière à défaut d'une information ou d'un document. L'absence d'information peut entraîner l'acheteur dans des dépenses imprévues, parfois même sans aucun recours contre le vendeur.

Le chemin pour vendre ou acheter un bien immobilier, notamment un logement, est semé d'embûches et nécessite un accompagnement juridique fiable. Interrogez votre notaire. Rechercher un acquéreur pour l'appartement que vous voulez vendre et vous aider à rechercher la maison de vos rêves fait partie des services qu'il peut vous rendre. Pour cette activité les notaires sont également soumis à un tarif national fixé par le ministre de la justice. Leurs honoraires de négociation sont calculés au taux, hors taxe à la valeur ajoutée de 5% jusqu'à 45 735 euros et de 2,50% au-dessus de ce montant. Ainsi par exemple si votre notaire trouve un acquéreur pour votre appartement et que le prix de vente est de 150 000 euros, les honoraires de négociation auquel il a droit seront de :

45 735 x 5% = 2 286,75

104 265 x 2,5% = 2 606,63

Total hors TVA = 4 893,38

TVA à 19,60% = 959,10

Total TTC = 5 852,48

Il faudra ajouter à ces honoraires de négociation, les frais de notaire ordinaires à payer dans tous les cas et qui comprennent surtout des droits et taxes et la rémunération du notaire pour la rédaction de l'acte authentique de vente. N'hésitez pas à interroger votre notaire et à le rencontrer. Officier public et professionnel libéral indépendant, il vous fournira le complément d'informations nécessaires à toutes prises de décisions. Pour en savoir plus sur les missions du notaire vous pouvez visiter le site : http://www.notaires2normandie.com.

(Conseil régional des notaires de la cour d'appel de Rouen, « La lettre de mon notaire : Vous cherchez un logement ? Parlez-en à votre notaire », mai 2007, http://www.cr-rouen.notaires.fr/item_img/medias/documents/lettre_notaire_05-2007.pdf, dernier accès le 26 juin 2008)

Vocabulaire

le chemin ... est semé d'embûches il y a beaucoup de difficultés en route

TVA taxe sur la valeur ajoutée

TTC toutes taxes comprises

B

Dites si les assertions suivantes représentent ce qui est dit dans le texte, et corrigez les fausses.

		Vrai	Faux
1	Un notaire peut vous fournir les informations nécessaires pour la mise en vente de votre maison.	☐	☐
2	Parmi les constats techniques à fournir se trouvent ceux relatifs à l'amarante.	☐	☐
3	La transaction entière peut être annulée si un document manque.	☐	☐
4	La législation concernant les chemins n'est pas fiable.	☐	☐
5	Le notaire ne peut en aucun cas rechercher un acquéreur pour l'appartement que vous voulez vendre.	☐	☐

C

Dans les phrases suivantes, remplacez chaque verbe au présent de l'indicatif par un futur pour exprimer la valeur de généralité du texte.

Tout manquement de l'acquéreur aux obligations légales entraîne des conséquences très importantes. Le juge, selon le cas, réduit le prix de vente et parfois même annule l'opération entière à défaut d'une information ou d'un document. Sachez aussi que pour calculer le coût de l'opération, il faut ajouter au prix d'achat la rémunération du notaire pour la rédaction de l'acte authentique de vente. Enfin n'hésitez pas à interroger votre notaire et à le rencontrer. Officier public et professionnel libéral indépendant, c'est lui qui vous fournit le complément d'informations nécessaires à toutes prises de décisions.

Activité 2.2.11

A

Lisez ci-contre la lettre d'un Britannique, qui a acheté puis fait rénover une petite maison en Bretagne, et faites une liste du personnel impliqué dans l'achat et la rénovation.

Avant

Après

Chère Lucie,

Grâce au mauvais temps aujourd'hui, j'ai trouvé quelques instants pour t'écrire et te raconter la rénovation de ma maison de Bretagne.

En novembre 2002, en quête de maisons bretonnes, j'ai épluché des centaines d'annonces d'agences immobilières et de notaires. Pendant tout un week-end j'en ai visité plusieurs avec ma femme Suzanne et c'est en voyant la dernière de notre liste, la moins chère et la plus grande, que nous avons eu un coup de cœur. Elle répondait à tous nos besoins et dépassait même nos espérances : dans un village à cinq minutes du lac Le Trémoudec, construite dans les années 1880 en pierre sous ardoise, assez grande, avec une auge ancienne dans la cour, et la rénovation ne prévoyait que des travaux à l'intérieur. Nous l'avons achetée immédiatement !

Le notaire nous a conseillé d'embaucher un maître d'œuvre pour la gestion des travaux de rénovation, et en 2003 nous avons choisi M. Yves Kerblet, qui avait une formation en architecture et était né à St Cyprien, notre village. Pendant sa première visite chez nous, il nous a prévenus : « Si vous m'embauchez, c'est pour réaliser tout le travail correctement – ou alors on ne m'embauche pas ! Car je serai responsable et il faut que je protège ma réputation professionnelle. » Il a continué : « Sans travailler comme il faut, c'est-à-dire, sans soulever toutes les lattes du plancher, il restera des vers de bois ou des capricornes dans les poutres. Vous profiterez de la maison sans souci pendant quelques années, puis les poutres pourries vous tomberont sur la tête sans avertissement et vous vous retrouverez avec un salon à ciel ouvert ! »

Quelques mois plus tard, nous avons discuté avec lui par téléphone et par fax de nos idées pour l'aménagement des pièces, et il a fourni tous les devis des artisans qu'il nous a recommandés. Dans le système français chaque artisan doit proposer un autre artisan (d'un métier allié) avec qui il peut travailler. Par exemple, l'électricien doit pouvoir travailler avec le plâtrier et le menuisier, et souvent ils se succèdent dans plusieurs chantiers.

Notre architecte nous a fourni un contrat de gré à gré pour les travaux à prix fixe. Pour ses frais il fallait compter dix pour cent de plus. Donc nos coûts étaient fixés. Malheureusement la durée des travaux, elle, s'est avérée plus floue ! Les travaux ont commencé en septembre 2004, avec six mois prévus pour les terminer. Après un an, nous avons annoncé que nous voulions fêter Noël 2005 chez nous en Bretagne, et par la suite le menuisier a dû travailler sans relâche, y compris jusqu'à huit heures, voire neuf heures du soir la veille de Noël. En fait, nous avons emménagé dans un chantier parce que les petites finitions ont duré encore trois mois et nos meubles sont restés longtemps en vrac dans le hangar. Notre réveillon de Noël, lui, nous l'avons fait à même le sol !

En juin 2006, trois ans après l'achat, notre maison était refaite à neuf à l'intérieur avec isolation par doublage des murs partout et une toiture toute neuve en ardoises espagnoles sur crochets inox. Ni froid ni pluie ne pouvaient y entrer. Il ne nous restait que la peinture à faire, et le jardin ... mais ça, c'est une autre histoire, que je te raconterai quand tu viendras !

Toutes mes amitiés,

Patrick

Vocabulaire

en pierre sous ardoise avec des murs en pierre et un toit d'ardoise

un maître d'œuvre une personne responsable de coordonner tous les artisans sur un petit ou moyen chantier (sur un grand chantier, ce rôle est rempli par un architecte)

un contrat de gré à gré un contrat consenti mutuellement, sans intervention du notaire

les petites finitions les derniers travaux mineurs avant la fin du chantier

B

Lisez les affirmations suivantes et cochez vrai ou faux. Quand les informations sont fausses, faites une phrase expliquant pourquoi.

		Vrai	Faux
1	Patrick a trouvé sa maison de rêve en téléphonant à des centaines d'agences immobilières en Bretagne.	☐	☑
2	Patrick et Suzanne ont choisi une maison qui était en queue de liste.	☑	☐
3	Il y a un puits dans la cour de leur maison.	☐	☑
4	Patrick et son maître d'œuvre ont eu l'idée de construire un salon à ciel ouvert.	☐	☑
5	Le prix des travaux a augmenté au cours de leur exécution.	☐	☑
6	Pour finir à temps, le menuisier a dû travailler jusqu'à 9 h du soir.	☑	☑
7	Patrick et Suzanne ont fait leur premier réveillon de Noël dans le hangar.	☐	☑

C

Faites un calendrier des actions et progrès effectués chaque année en utilisant des noms et expressions nominales.

En 2002	Recherches dans les annonces …
En 2003	
En 2004	
En 2005	
En 2006	

Activité 2.2.12

A

Lisez l'article sur la récupération des matériaux anciens, et faites correspondre à leur équivalent chacune des expressions données à la page suivante.

Rénover avec des matériaux récupérés

Quand on restaure, on a envie d'authentique. Cherchez bien ; il y a des entrepôts de récupérateurs dans chaque région.

La récupération de matériaux anciens s'adresse aussi bien aux architectes ou décorateurs qu'aux particuliers. Les récupérateurs sont de deux sortes : ceux qui proposent des lots bruts, en vrac, et ceux qui assurent le tri, le nettoyage, voire la réparation des matériaux pour les vendre en quelque sorte en « prêt à poser ». Cette prestation a un coût mais s'avère rassurante.

Les matériaux à l'état brut

Véritables cavernes d'Ali Baba, les entrepôts regorgent de matériaux souvent ni triés, ni nettoyés, ni restaurés. Ils sont exposés par grandes catégories le long des allées, sur des étagères ou à même le sol. Ce sont souvent de petites entreprises artisanales, qui stockent dans des hangars ou à ciel ouvert toutes sortes de matériaux (terres cuites, parquets, pierres, poutres…) et d'éléments d'architecture (portes, fenêtres, grilles…) ainsi que des ornements de jardin (auges, fontaines, statues, puits…). Les prix ne sont pas fixes, ils fluctuent en fonction de la rareté de l'objet, de son état, mais aussi de vos talents de négociateur ! Certains récupérateurs se spécialisent dans une famille de produits, comme les portes ou la ferronnerie.

Notre conseil : la marchandise est livrée par des démolisseurs, c'est pourquoi les stocks ne sont pas prévisibles mais évoluent au gré des déconstructions. Pour trouver l'objet unique ou la bonne affaire, renouvelez régulièrement les visites.

Les antiquaires haut de gamme

Si vous recherchez des matériaux de récupération plus sophistiqués, visitez les galeries des « antiquaires du bâtiment ». Grâce à leur connaissance historique, ces professionnels peuvent dater précisément des éléments d'architecture ou vous raconter l'histoire des objets mis en vente. Les matériaux et objets de décoration sont mis en scène pour attirer une clientèle aisée, en quête de produits rares. Les prix sont bien sûr beaucoup plus élevés. […]

Des affaires sur Internet

Les grandes entreprises de négoce de matériaux anciens ont leur propre site, sur lequel ils répertorient une partie ou l'ensemble de leurs stocks. Il suffit de les appeler pour réserver l'objet de son choix. On peut également consulter les sites de ventes aux enchères, comme ebay.fr ou les sites de petites annonces comme vivastreet.fr. Ils proposent régulièrement des lots de matériaux ou des éléments comme des escaliers, des cheminées… Les vendeurs sont des particuliers, ou des récupérateurs professionnels, qui étendent leur champ d'action. Dans tous les cas, se renseigner sur l'état du lot ou de la pièce convoitée.

Notre conseil : bien s'informer sur l'origine du produit, certaines pièces pouvant provenir de pillages de monuments ou de démolitions illégales.

(Nathalie Soubiran, « Rénover avec des matériaux récupérés », *Maison Magazine Hors-Série*, été 2007)

Vocabulaire

prêt à poser prêt à utiliser tout de suite, sans avoir besoin de les travailler préalablement

étendent (étendre) son champ d'action ici, augmentent le nombre de clients

Matériaux de récupération

1 en vrac	(a) par terre
2 une prestation	(b) en plein air
3 s'avère rassurante	(c) un abreuvoir
4 un hangar	(d) un service
5 à même le sol	(e) finit par donner confiance
6 à ciel ouvert	(f) un spécialiste de la destruction d'immeubles
7 un démolisseur	(g) un endroit pour entreposer des matériaux
8 en quête de	(h) disposés n'importe comment
9 voire	(i) à la recherche de
10 une auge	(j) même

B

Relisez le texte et répondez aux questions suivantes :

1. Qui sont les acheteurs principaux des matériaux récupérés ?
2. Quelles sont les deux catégories de récupérateurs ?
3. Quels sont les trois facteurs qui déterminent les prix des matériaux récupérés ?
4. En quoi les « antiquaires du bâtiment » se distinguent-ils des simples marchands de matériaux récupérés ?
5. Que faut-il absolument faire, avant d'acheter des matériaux récupérés affichés sur un site web ?

G2.5 Le pronom démonstratif « celui, celle, ceux, celles » avec « qui, que, dont »

« Celui, celle, ceux, celles » – *this one, that one, the one(s), these, those* – sont des pronoms démonstratifs. Ils désignent un nom précédemment mentionné, et ils s'accordent en genre et en nombre avec ce nom.

	Singulier	**Pluriel**
Masculin	celui	ceux
Féminin	celle	celles

Dans le texte précédent, vous avez rencontré cette phrase :

> Les récupérateurs sont de deux sortes : **ceux qui** proposent des lots bruts ... et **ceux qui** assurent le tri...

Dans la phrase ci-dessus, « ceux qui » désigne et s'accorde avec « les récupérateurs ».

1. On emploie l'expression « celui/celle/ceux/celles qui » comme sujet du verbe :

   celui/celle **qui parle**

   ceux/celles **qui achètent**

2. « Celui/celle/ceux/celles que » est l'objet du verbe :

   celui/celle **que j'aime**

   ceux/celles **que vous connaissez**

3. « Celui/celle/ceux/celles » s'emploie avec « dont » quand le verbe est suivi de la préposition « de ». Par exemple, le verbe « parler » est suivi de « de » :

   Certains récupérateurs cherchent uniquement le profit, mais **ceux dont** on parle dans l'article font du recyclage bien utile !

Renseignez-vous dans votre livre de grammaire sur les autres verbes qui sont suivis de « de ».

Activité 2.2.13

A

Ajoutez « celui/celle/ceux/celles » + « qui/que/dont » aux phrases suivantes.

Exemple

L'architecte et le décorateur sont __________ recherchent des matériaux authentiques quand ils restaurent une maison.

L'architecte et le décorateur sont ***ceux qui*** *recherchent des matériaux authentiques quand ils restaurent une maison.*

1. Les entrepôts des récupérateurs sont __________ on appelle des cavernes d'Ali Baba.
2. __________ stockent à ciel ouvert sont de petites entreprises artisanales.
3. __________ trouvent une bonne affaire renouvellent régulièrement les visites.
4. Les antiquaires du bâtiment sont __________ ont des connaissances historiques qui leur permettent de dater les objets.
5. La clientèle aisée est __________ recherche des produits rares.
6. Un site de vente aux enchères est __________ on a besoin quand on recherche quelque chose de spécial.
7. Il est important de bien s'informer sur les origines des produits afin de distinguer entre __________ sont authentiques et __________ proviennent de démolitions illégales.
8. Les petites annonces sur Internet sont __________ on consulte pour trouver une pièce convoitée.

B

Terminez les définitions ci-dessous en utilisant « celui/celle/ceux/celles » + « qui/que/dont ».

Exemple

Un architecte est...

Un architecte est ***celui qui*** *fait les plans d'une maison.*

1. Les menuisières sont...
2. Les maîtres d'œuvre sont...
3. Un notaire est...
4. Une entreprise de démolition est...

Activité 2.2.14

Vous êtes en visite en France. En feuilletant les pages d'une brochure immobilière, une annonce pour une propriété à vendre attire votre attention.

> Magnifique propriété de 5/6 pièces, 1 Rdc et 1 étage, édifiée sur 1 200m^2 clos de vieux murs, 170m^2 hab., poutraison d'origine ds séj, quelques travaux à prévoir, dépendance dans terrain, 10 mins centre village, tb état. 204 000€.

Vous vous rendez sur les lieux. C'est un coup de cœur ! Vous écrivez à un(e) ami(e) francophone pour lui décrire la propriété et lui demander si l'achat est une bonne idée.

Composez une lettre d'environ 300 mots (salutations exclues) dans laquelle vous parlez de certains des aspects suivants :

- du site/du cadre
- de la maison à l'extérieur, à l'intérieur
- de l'accès
- des travaux à faire – p. ex. : eau courante, électricité, chauffage, sanitaire, décoration, jardins, terrasses, jardin potager
- du prix

Session 3 Penser la ville

Les villes changent constamment, et souvent de façon organique. Mais une part de cette évolution est due à la planification urbaine, activité délibérée qui vise l'amélioration du cadre de vie pour tous ceux qui, résidents ou visiteurs, commerçants, artisans ou industriels, vivent au jour le jour la vie de la ville. Comment concilier tous ces besoins différents, comment renouveler le tissu urbain et reconstruire, et qui prépare l'avenir des citadins ? Voici les thèmes de cette session.

Points clés

- G2.6 Encore, toujours
- G2.7 Exprimer le doute et la certitude avec le subjonctif et l'indicatif
- C2.5 L'architecte Jean Nouvel
- O2.4 Pour contraster deux idées
- O2.5 Exprimer l'accord et le désaccord
- O2.6 Exprimer une opinion

Marseille et Liverpool

Au cours des siècles les villes évoluent. Prenons l'exemple de deux grandes villes portuaires au passé prestigieux, Marseille et Liverpool, dont la population tourne autour du million d'habitants (un peu plus pour Marseille, un peu moins pour Liverpool). Les contrastes entre l'une et l'autre ne manquent pas. Vous allez en étudier quelques-uns.

Activité 2.3.1

A

Cochez les thèmes qu'on peut s'attendre à rencontrer dans les guides touristiques sur Liverpool.

1 Le passé colonial de la ville ☑
2 Ses arènes pour combat de taureaux ☐
3 Son grand marché aux fleurs ☐
4 Ses célébrités des années soixante ☑
5 Sa célèbre équipe de hockey sur glace ☐
6 Ses docks ☑
7 Ses mouettes ☑
8 Son humour caustique ☑

B

Lisez le texte sur Liverpool et répondez aux questions ci-contre.

Liverpool

Réputée pour engendrer la mélancolie, Liverpool est une ville où les immeubles délabrés côtoient de superbes monuments classés, d'impressionnantes cathédrales et des magasins animés. À jamais associée aux « Quatre garçons dans le vent » la ville est également connue pour ses deux clubs de football et accueille chaque année l'une des plus célèbres compétitions hippiques au monde. Toutefois, son passé glorieux ne doit pas faire oublier que Liverpool est résolument tournée vers l'avenir et qu'elle entend bien reconquérir une place de premier ordre en Europe.

De son extraordinaire situation sur le large estuaire de la Mersey – avec ses lumières vacillantes, son brouillard, ses mouettes et ses grandes zones désertes, les habitants de Liverpool ont tiré leur caractère tenace et leur esprit caustique. Clé de voûte du pouvoir maritime de la Couronne britannique pendant deux siècles, le port a bâti sa puissance sur l'esclavage, le commerce et l'émigration. Dans les années 1960, le développement du transport par conteneurs a tué l'activité des docks et plongé la ville dans une longue période de crise, dont les traces sont malheureusement encore bien visibles aujourd'hui. Toutefois, les grands bâtiments sont encore debout, la légende des Beatles ne cesse de s'accroître et la fierté de ses habitants semble n'avoir jamais été aussi forte.

(Lonely Planet, « Liverpool », http://www.lonelyplanet.fr/_htm/destinations/index.php?mode=notice¶m1=liverpool¶m2=intro, dernier accès le 25 juin 2008)

Note culturelle

Quatre garçons dans le vent Au plus haut moment de leur gloire, l'expression « les quatre garçons dans le vent » a été très utilisée pour désigner les Beatles et pour traduire le titre de leur film *A Hard Day's Night*. En les appelant ainsi, on faisait allusion à leur jeunesse (« garçons ») et à leur valeur de mode, puisque « dans le vent » est une expression aujourd'hui un peu vieillie, qui voulait dire « très à la mode ».

1 Pourquoi la ville est-elle célèbre à travers le monde ?

2 À présent quelle est l'ambition de la ville de Liverpool ?

3 Décrivez sa situation géographique.

4 Son pouvoir dépendait de quelles activités dans le passé ?

5 Pourquoi les années soixante ont-elles été difficiles ?

6 Comment se présente l'avenir de la ville ?

G2.6 Encore, toujours

Ces deux adverbes ont des ressemblances et des différences, comme suit :

1 « Encore » en contexte affirmatif ou interrogatif peut se traduire par *still*, *again* ou *more*.

Il y a **encore** plein de monde dans les rues à la sortie du cinéma. (*There are **still** a lot of people in the streets when the cinemas close.*)

Je lui ai **encore** expliqué que l'ascenseur ne marchait pas. (*I explained to him **again** that the lift wasn't working.*)

Tu restes **encore** deux jours avant de repartir à Hautval ? (*Are you staying two **more** days before going back to Hautval?*)

2 « Encore » avec « pas » en contexte négatif (« pas encore » ou « encore pas ») veut dire « pas pour le moment ».

Je n'ai **pas encore**/**encore pas** vu le quartier. (*I have **not yet**/**still not** seen the area.*)

3 « Toujours » (en contexte affirmatif ou interrogatif) indique que quelque chose se répète sans exception.

C'est bien ce qui m'énerve, le parking est **toujours** plein ! (*That's exactly what annoys me, the car park is **always** full!*)

4 « Toujours » (en contexte affirmatif ou interrogatif) veut aussi dire que quelque chose continue dans le temps. Il se traduit alors par *still* :

Elle habite **toujours** La Villeneuve. *(She* ***still*** *lives in La Villeneuve.)*

Attention, pour nier cet exemple, il ne faut pas utiliser « toujours » ni « encore », mais il faut dire :

Elle **n'**habite **plus** La Villeneuve. (*She* ***doesn't*** *live in La Villeneuve* ***any more****.*)

5 Est-ce que « encore » et « toujours » sont interchangeables ?

(a) Oui, « pas encore », « encore pas » et « toujours pas » sont interchangeables dans le sens de *not yet/still not*.

Le parking n'est **pas encore/ encore pas/toujours pas** plein. (*The car park is* ***not yet/still not*** *full.)*

(b) Non, quand l'ordre des mots est « pas toujours » :

Le parking n'est **pas toujours** plein. (*The car park's* ***not always*** *full.*)

Activité 2.3.2

Ajoutez une des expressions « encore/encore pas/toujours/toujours pas » aux phrases qui suivent. Attention, il y a parfois plusieurs possibilités.

1 Liverpool n'est __________ arrivée au premier rang des villes européennes.

2 Malgré les travaux de rénovation il y a __________ des bâtiments délabrés dans la ville.

3 À Liverpool, les magasins sont __________ pleins le samedi et __________ ouverts à huit heures du soir.

4 Liverpool a une réputation de ville à brouillards, et cet hiver c'était __________ le cas.

5 Près du port il reste __________ des zones désertes.

6 Je n'ai __________ visité le port.

O2.4 Pour contraster deux idées

Dans le texte « Liverpool », l'auteur introduit des contrastes en utilisant « toutefois » (dernière phrase de chaque paragraphe).

Toutefois, son passé glorieux ne doit pas faire oublier...

Toutefois, les grands bâtiments sont encore debout...

Pour contraster deux idées dans une seule phrase, vous pouvez utiliser les constructions « tandis que/alors que + verbe » ou « contrairement à + nom » :

Les grands bâtiments de Liverpool sont encore debout, **tandis que/alors que** ceux de Pompéi sont en ruines.

Les grands bâtiments de Liverpool sont encore debout, **contrairement à** ceux de Pompéi, qui sont en ruines.

Voici d'autres mots qui ont aussi la fonction d'exprimer des contrastes :

mais, cependant, malgré tout, néanmoins, pourtant

On peut aussi contraster deux idées avec une « structure double » :

d'un côté ... d'un autre côté...

d'une part ... d'autre part...

L'opposition peut s'exprimer de façon plus catégorique par les expressions adverbiales suivantes :

par contre, en revanche, au contraire

Marseille

Activité 2.3.3

A

Un(e) de vos ami(e)s doit rédiger une notice pour un guide touristique sur Marseille. Son idée, originale, est de présenter cette ville en contraste avec Liverpool. Parmi les thèmes ci-dessous, tous lui seront utiles pour établir les similarités et différences qui forment ce contraste. Dites pourquoi, en une ou deux phrases pour chaque thème.

Exemple

Description du Vieux-Port à Marseille

→ Utile parce que ces deux villes sont des villes portuaires, mais Marseille est un port de mer tandis que Liverpool est sur un estuaire.

1 Recommandations de restaurants pour manger de la cuisine marseillaise

2 L'essentiel de l'info pour trouver l'embarcadère du ferry pour la Corse

3 Des renseignements sur la traditionnelle foire aux Santons

4 Un petit dictionnaire d'expressions marseillaises

5 La visite de Notre Dame de la Garde et la présentation de la Bonne Mère

B

En reprenant quelques idées du corrigé que nous avons donné à l'étape précédente, contrastez Liverpool et Marseille en environ 150–180 mots. Si vous connaissez ces villes, trouvez aussi des idées dans votre propre imagination ! Dans les deux cas, utilisez des expressions pour contraster différentes idées.

La perspective des architectes

Qu'on adore ou qu'on déteste leurs constructions, il faut admettre que les architectes nous ouvrent les yeux sur le paysage urbain. En lisant ce qu'ils ont à dire sur l'évolution de l'habitat, ou en se promenant avec eux dans les rues d'une ville, nous pouvons enrichir notre compréhension du paysage urbain qui nous entoure. C'est ce que vous allez tenter de faire dans les activités suivantes.

Activité 2.3.4

A

Complétez les assertions de ces jeunes architectes sur la façon de développer au mieux les villes.

1 **Victor :** D'un côté le rôle des architectes consiste à créer des bâtiments ultramodernes...

2 **Serge :** Un architecte doit répondre à la demande de ses clients...

3 **Naïma :** Les citadins demandent l'élimination des camions du centre-ville...

4 **Luc :** Les urbanistes ne pourront jamais corriger les fautes du passé...

(a) contrairement aux commerçants, qui doivent, selon moi, pouvoir utiliser ces véhicules pour leurs livraisons.

(b) par contre je pense que ses clients ne doivent pas lui demander d'aller contre le style de l'existant.

(c) toutefois j'estime qu'ils doivent en tirer des leçons pour un avenir meilleur.

(d) d'un autre côté, pour moi, ils doivent aussi tenir compte des traditions architecturales locales.

B

Choisissez un des quatre jeunes architectes ci-dessus et faites une phrase pour dire si, personnellement, vous êtes d'accord ou non avec lui/elle et pourquoi.

O2.5 Exprimer l'accord et le désaccord

Il existe des façons plus ou moins polies, plus ou moins insistantes, d'exprimer l'accord et le désaccord. La force (certitude totale, certitude nuancée) de ces expressions varie selon que des phrases comme « pas tout à fait », « pas du tout », « absolument pas », etc. sont présentes. Le style (neutre, formel, informel) dépend beaucoup du contexte, mais voici quelques expressions illustratives. La notation (N) indique un style assez neutre, (+f) un style plus formel et (–f) un style informel.

1 D'accord

(Dans l'ensemble), je suis d'accord (N)

Je suis (entièrement) d'accord (avec) (N)

Vous avez/tu as (tout à fait) raison de dire que (N)

Je partage votre/ton opinion (+f)

Il est (tout à fait) vrai que (+f)

C'est vrai que (–f)

D'acc ! (–f)

2 Pas d'accord

Je ne suis pas (tout à fait/du tout) de votre/ton avis. (N)

Je ne partage pas (tout à fait/du tout) vos/tes vues (+f)

Je suis loin d'être d'accord (avec) (N)

Absolument pas ! (N)

Mais c'est (absolument) faux ! (–f)

Mais ce n'est pas vrai (du tout) ! (–f)

(Ah non,) pas d'accord ! (–f)

3 Pour montrer qu'on est très surpris par (et pas du tout d'accord avec) l'opinion de l'interlocuteur :

Mais qu'est-ce que tu racontes/vous racontez ! (–f)

Mais quelle drôle d'idée ! (N)

Tu plaisantes !/Vous plaisantez ! (N)

Tu exagères ! (–f)

Tu pousses ! (–f)

4 Pour accepter l'opinion d'un interlocuteur avant d'exprimer un désaccord partiel ou une réserve :

Je reconnais que/Il est vrai que... ; mais (N)/toutefois (+f)

Je reconnais que la ville est animée ; **mais** c'est parfois stressant.

Activité 2.3.5

A

Lisez les déclarations que l'architecte Paul Chemetov a faites au magazine *Label France* et puis trouvez les synonymes des expressions 1 à 8 tirées du texte.

« Nous savons désormais que notre monde est limité en ressources et en espace, que la politique de colonisation, d'exploitation, voire de prédation des XIXe et XXe siècles, bute sur la quantité des immeubles, sur la question des ressources, des paysages, de la pollution. Nous devons donc avoir une approche technique bienveillante envers le présent où nous sommes, le passé dont nous héritons et le futur que nous pressentons. L'architecture doit être responsable de sa durée, de son sens, de son économie et de son usage. Les notions de haute qualité environnementale, de développement durable, l'intéressent.

Mais l'architecture travaille également les formes et les symboles, et il ne faut jamais oublier qu'au travers des fonctions qu'elle remplit, elle transmet, éveille et provoque l'imaginaire, le sensible et l'intelligible des hommes. En ce sens, l'architecture, sujet technique et sérieux, est avant tout une activité culturelle. »

[...]

« La transformation de la banlieue ramène à la question de l'urbanisme. Ce qui met en crise les grands ensembles, c'est leur homogénéité. Ce sont des enclos différents du reste de la ville – par leur système routier, leur échelle, la disposition des bâtiments... – et autonomes. Or, précisément, le problème de l'urbain, c'est aussi la mixité des usages, des allées et venues ! C'est donc en les replaçant dans la ville qu'on corrigera les grands ensembles, c'est-à-dire en les réintégrant aux communes auxquelles ils appartiennent. »

(Florence Raynal, « Pour une architecture responsable, entretien avec Paul Chemetov », *Label France*, no. 42, 2001)

Vocabulaire

le sensible et l'intelligible (m.) des hommes les capacités humaines à ressentir des émotions et à comprendre les choses

1 désormais	(a) non-agressive
2 bute sur	(b) imaginons
3 bienveillante	(c) déplacements
4 pressentons	(d) est stoppée par
5 l'intéressent	(e) à partir de maintenant
6 ramène à	(f) dimension
7 échelle	(g) sont pertinentes pour elle
8 allées et venues	(h) attire l'attention sur

B

Êtes-vous d'accord avec Chemetov ? Utilisez les expressions étudiées dans cette session, pour exprimer votre accord ou désaccord et établir des contrastes. Écrivez un maximum de 150 mots.

Activité 2.3.6

A

Un artiste a illustré le contraste entre le logement de rêve selon les architectes et le logement de rêve selon les gens. Auquel de ces deux logements appartiennent les descriptions ci-contre ?

(a)

Habitat de rêve, d'après les architectes

(b)

Habitat de rêve, d'après les gens

		(a)	(b)
1	chaleureux	☐	☑
2	moderniste	☑	☐
3	douillet	☐	☑
4	évoquant la construction industrielle	☑	☐
5	en bois	☐	☑
6	modulaire	☑	☐
7	évoquant la construction artisanale	☐	☑
8	traditionnel	☐	☑
9	en béton	☑	☐

B

Et vous, en quoi êtes-vous d'accord ou pas d'accord avec l'artiste ? Exprimez votre pensée en 100 à 150 mots. N'oubliez pas les expressions d'accord, de désaccord et de contraste.

Activité 2.3.7

A

Choisissez parmi ces définitions celle qui correspond selon vous à l'expression « une visite d'architecte ».

1. Une petite porte secrète, normalement placée derrière un panneau décoratif, qui permettait à l'architecte d'un palais de venir faire des inspections-surprise. ☐
2. L'inauguration officielle d'un nouveau monument ou bâtiment par l'architecte qui en est l'auteur. ☐
3. La visite guidée d'une ville par des touristes, avec un architecte qui commente pour eux l'histoire et les styles architecturaux de cette ville. ☐

B

Regardez ci-dessous les cinq photos et commentaires, tirés d'une brochure pour visite guidée d'Hérouville, petite ville à côté de Caen, et choisissez le projet ou le bâtiment qui vous plaît le plus. Justifiez votre choix selon son architecture, sa conception, son usage et son avenir, c'est-à-dire en vous aidant des idées exprimées dans la brochure. Écrivez 150 à 200 mots.

1987 : La Citadelle Douce

C'est Eugène Leseney qui a été chargé de « La Citadelle Douce » en 1985. C'est le centre-ville associant l'hôtel de ville, une salle de spectacles, des logements et des commerces. Sculpturale, la Citadelle a doté la ville d'un point d'ancrage, d'un symbole propre à susciter l'éveil d'une identité collective.

1989–1995 : Le Café des Images

Pour restructurer le cinéma du Café des Images en 1989, Olivier Baudry a eu l'idée et l'humour d'accrocher, sur les deux façades principales, de spectaculaires panneaux-affiches de néon.

En 1995 il a ajouté une troisième salle. À cause du manque d'espace, cette troisième salle ne pouvait qu'être positionnée au-dessus du bâtiment existant. Pour que le volume conserve la cohérence de l'ensemble et pour aller contre la tendance actuelle des grandes boîtes rectangulaires, l'architecte a opté pour une demi-sphère. A l'extérieur, viennent se coller en satellites deux parallélépipèdes rouge et jaune qui donnent à l'ensemble l'aspect d'un jeu de construction.

1992 : L'Esplanade

L'Esplanade des équipes d'architectes J. Nouvel et Alba-Roux est un bâtiment qui se trouve adossé au front est de la Citadelle Douce, à l'image d'une pièce de puzzle encastrée dans l'existant. Conscients du rôle de la Citadelle dans l'histoire récente d'Hérouville, ils ont imaginé que leur projet se logerait exactement dans la « dent creuse » du centre-ville. Cette démarche contextualiste traduit leur respect et prise en compte de la ville existante.

Intégré au contexte urbain, l'Esplanade se distingue de l'architecture de la Citadelle qu'elle vient enrichir de sa différence. Tout en transparence et en couleurs : le bâtiment est constitué de deux éléments rouge et gris, sertis de façades en verre, qui forment un trait d'union entre le centre et l'entrée de la ville.

Les services se répartissent sur deux niveaux : un niveau bas de commerces s'ouvre sur la voie de circulation ; au-dessus, les bureaux sont logés dans une petite enveloppe de verre et de métal lisse, sans décrochements. Le premier niveau d'accueil, tout en verre, confère au bâtiment un surcroît de fluidité.

1996 : Citis-Technopole

Zone d'activité innovante, Citis est située au centre d'un complexe « recherche – université – entreprises de haute technologie », elle s'étend sur une centaine d'hectares. Pour éviter les travers du « zoning », ses concepteurs ont intégré habitat et activité tertiaire dans un environnement architectural de très grande qualité. Alain Provost, architecte – paysagiste et Michel Kalt, architecte ont signé la conception du site : lacs, jardins s'étageant sur pentes, constructions sur pilotis viennent composer un aménagement paysager particulièrement soigné.

1999 : L'Entrée de ville

L'Entrée de Ville et le bâtiment des Directions Régionale et Départementale du Travail sont l'œuvre des architectes J. Nouvel, Ph. Roux et D. Alba.

Leur projet fait le choix d'une architecture – paysage créative, le bâtiment tout en rondeur étant couvert d'un grand manteau végétal. La singularité du bâtiment réside dans l'espace vert qui habille le bâtiment : il s'agit d'une large prairie naissant au sol, montante en une longue courbe régulière et frangée de lierres qui s'agrippent aux câblages tendus.

Ce nouveau bâtiment vient diversifier les activités et les fonctions du centre-ville qui deviendra à terme un espace où l'on pourra travailler, faire ses emplettes, se loger mais aussi se divertir et se cultiver. Il s'intitule « Naturellement ». En effet, quoi de plus naturel que de signaler l'entrée de la ville par une architecture qui symbolise la transition entre la nature et l'urbain ?

(Adapté de « Les créations architecturales », http://www.herouville.net/pageLibre00010012.html, dernier accès le 25 juin 2008)

Vocabulaire

un point d'ancrage un lieu qui donne une unité esthétique et psychologique

viennent se coller sont placés

qu'elle vient enrichir de sa différence à laquelle elle apporte richesse et contrastes

sans décrochements (m.pl.) sans zigzags dans la ligne de la façade

zoning (m.) l'atmosphère déplaisante des zones mal urbanisées

ont signé la conception du site ont conçu le site, comme un auteur qui « signe » un écrit

C2.5 L'architecte Jean Nouvel

Jean Nouvel est né en 1945 à Fumel, Lot-et-Garonne. À partir de 1964, il étudie l'architecture à l'École des beaux-arts de Bordeaux et à l'École nationale supérieure des beaux-arts de Paris. Toujours étudiant, il cofonde sa première agence en 1970. Il obtient son diplôme d'architecte en 1971.

C'est en 1987 que Jean Nouvel devient célèbre en concevant la façade sud de l'Institut du Monde Arabe, à Paris, l'un des « Grand Travaux » de François Mitterrand. Cette façade permet une solution « high tech » à la régulation climatique du bâtiment ainsi qu'une ornementation géométrique qui rend hommage aux traditions de l'architecture arabe. Depuis, Jean Nouvel s'est spécialisé dans des projets culturels.

Il est connu pour la rénovation de l'opéra de Lyon (1993), qu'il a doté d'une salle italienne, et sa construction la plus importante est le musée des Arts premiers du Quai Branly à Paris, ouvert en 2006.

Au début du XXIe siècle, c'est le personnage dominant de l'architecture française.

Façade de l'Institut du Monde Arabe

La perspective des urbanistes

Moins connus que les architectes, les urbanistes ont une énorme influence sur la qualité de notre vie en ville. Dans cette section vous allez voir comment ils sensibilisent la jeunesse à ces influences, comment leurs idées guident les décisions et engagements des élus locaux, et quelles répercussions directes elles ont sur la vie de tous les jours dans un quartier commerçant.

Activité 2.3.8

A

La bande dessinée « Les Détectives urbains » propose un petit quizz. Regardez-le et dites à quel numéro (1 à 3) ci-dessous correspond l'acronyme « GPV ».

(Service politique de la ville et service communication de la mairie d'Hérouville, *Les Détectives urbains*, no. 1, 2006)

B

La bande dessinée « Les Détectives urbains » a un objectif éducatif. Regardez ci-dessous un autre extrait de la bande dessinée et dites en une ou deux phrases ce que vous pensez de cette manière de familiariser les jeunes citadins avec leur ville.

(Service politique de la ville et service communication de la mairie d'Hérouville, « Le chantier », *Les Détectives urbains*, no. 1, 2006)

Activité 2.3.9

A

Lisez la présentation par Rodolphe Thomas, député-maire d'Hérouville, de son projet pour la ville, et identifiez celles de ses propositions qui sont concrètes.

> Je ne pense pas qu'il y ait de fatalité et de malédiction sur certains territoires « en difficulté », ou que certaines villes soient inexorablement vouées au déclin.
>
> À Hérouville, nous allons maintenant en apporter la preuve par l'action.
>
> Avec beaucoup de détermination et une totale concertation, les grands chantiers, même les plus difficiles et les plus longs, vont être engagés.
>
> Trois grands thèmes démontrent notre volonté de travailler sur l'ensemble du territoire municipal, pour tous les habitants.
>
> - Toutes les villes ont une entrée qui exprime tout de suite la qualité de vie que l'on peut y trouver.
>
>   À Hérouville, les portes de la ville ne sont pas à l'image de ce que nous sommes : nous allons tout revoir (éclairage, mobilier urbain, plantations...) pour rendre notre ville plus attrayante et accueillante.
>
> - Toutes les villes doivent avoir un centre – à la fois poumon et cœur de la cité – qui fédère les énergies et rayonne sur l'ensemble des quartiers.
>
>   C'est ce que nous voulons faire pour Hérouville, qui doit se doter d'un centre-ville plus dynamique et créateur d'emplois, mais aussi d'une politique d'animations permettant à chaque habitant de se retrouver dans ce qui lui est proposé.
>
> - Toutes les villes doivent être fières de leur logement social. 40 ans après sa conception, Hérouville doit revoir l'organisation de certains quartiers, les axes de circulation et naturellement la qualité des logements. Nous allons démolir pour mieux reconstruire certains immeubles, dans le cadre d'une charte de l'habitant qui précise les droits et les devoirs de tous les partenaires envers les locataires.
>
> Ces réalisations, qui s'inscrivent dans un Grand Projet de Ville, vont transformer durablement Hérouville et offrir à nos enfants une vie meilleure.
>
> (La maison des projets d'Hérouville, « Hérouville en mouvement », *Un projet de vie solidaire et durable*, novembre 2004)

Vocabulaire

fatalité (f.) un mauvais avenir, prévu d'avance (comme par une divinité malveillante)

les grands chantiers les projets publics importants qui sont longtemps en construction

B

En observant de près les verbes et la ponctuation des quatre premières lignes du discours du député-maire, dites quelles sont les deux différences grammaticales entre ces lignes et la phrase réécrite ci-dessous.

> Je pense qu'il y a une fatalité et une malédiction sur certains territoires « en difficulté », et que certaines villes sont inexorablement vouées au déclin.

G2.7 Exprimer le doute et la certitude avec le subjonctif et l'indicatif

Je ne pense pas qu'il y **ait** de fatalité.

Croyez-vous que certaines villes **soient** inexorablement vouées au déclin ?

Lorsque vous exprimez des doutes, il faut dans certains cas employer le subjonctif, comme dans les deux exemples ci-dessus.

1 Le subjonctif est requis avec :

(a) des verbes exprimant une opinion (« penser, croire, trouver », etc.), quand la personne qui parle s'exprime au négatif, ou en forme de question :

Je **ne** pense **pas** que l'appartement **soit** à vendre.

Je **ne** trouve **pas** que les enfants **aient** beaucoup de place pour jouer.

Je **n'**ai **pas** l'impression que Maya **comprenne** la situation.

Ils **ne** croient **pas** que les gens de l'extérieur **veuillent** venir vivre ici.

Elles **ne** sont **pas** sûres que vous **puissiez** entrer.

Pensez/croyez/trouvez-vous que le loyer **soit** trop cher ?

Êtes-vous sûr/certain/convaincu que ces commerces **doivent** fermer ?

(b) certaines expressions impersonnelles qui indiquent une possibilité ou un doute :

Il se peut que/Il est possible que...

Il semble que...

Il est improbable/douteux que...

Il n'est pas clair/évident/vrai/possible que lui seul **ait** raison contre tous.

2 L'indicatif est obligatoire avec :

(a) les verbes/phrases exprimant une opinion (voir 1(a) ci-dessus) quand elles sont à l'affirmatif :

Je pense qu'il y **a** une fatalité.

(b) des verbes et des expressions qui indiquent une certitude :

Je sais que...

Je constate que...

Je vois que...

Je maintiens que...

J'affirme que...

Il est clair/certain/évident que...

3 Il y a le choix entre le subjonctif et l'indicatif quand la personne qui parle a un doute. Ce choix est valable uniquement quand la phrase est affirmative. Alors, le subjonctif est utilisé en contraste avec l'indicatif, comme suit :

Je cherche une maison qui **a** des volets verts. (indicatif : la personne sait que cette maison existe et la phrase veut dire « je vais certainement la trouver »)

Je cherche une maison qui **ait** des volets verts. (subjonctif : la personne n'est pas certaine que cette maison existe et la phrase veut dire « je rêve de trouver une maison aux volets verts »)

Vérifiez les formes du subjonctif dans votre livre de grammaire.

Activité 2.3.10

A

Ajoutez des verbes au subjonctif et dites pourquoi le subjonctif est nécessaire.

1 Je ne pense pas qu'il (être) __________ nécessaire d'informer tous les habitants du GPV.

2 L'urbaniste ne croit pas que les Hérouvillais (être) __________ sensibles à la gravité de la situation des quartiers périphériques.

3 Il est possible que la municipalité (avoir) __________ l'intention de faire des choses concrètes mais j'en doute.

4 Je ne crois pas que les travaux (avoir) __________ beaucoup avancé depuis l'année dernière.

5 Il n'est pas certain que vous (être) __________ prêts à travailler pour une vie meilleure.

6 Il se peut qu'ils (être) __________ en retard pour démolir la plupart des immeubles au cours des travaux.

7 Les urbanistes ne sont pas sûrs que les ouvriers du bâtiment (avoir) __________ terminé la première phase avant Noël.

B

Ajoutez des verbes à l'indicatif ou au subjonctif selon ce qui convient.

1 Je suis sûr que le Café des Images (maintenir) __________ sa popularité grâce à l'imagination de ses concepteurs.

2 Je pense qu'il (être) __________ très désagréable de vivre à Creville-les-Gaz.

3 Pensez-vous qu'un bâtiment recouvert de végétation (être) __________ pratique ?

4 Je ne trouve pas que l'Esplanade (embellir) __________ la ville.

O2.6 Exprimer une opinion

Vous venez de voir des verbes utiles pour exprimer une opinion, par exemple « penser/trouver/croire/considérer » + « que ».

Vous pouvez aussi utiliser des adverbes ou des expressions adverbiales :

- à mon avis, d'après moi, pour moi, selon moi

  À mon avis, il faut repenser les banlieues.

- « personnellement » + verbe exprimant une préférence

  Personnellement, je n'aime pas beaucoup le style « chalet ».

Pour dire ce que l'on pense avec force, on peut combiner les adverbes et les verbes d'opinion :

Moi, **personnellement je trouve que** ces immeubles sont laids.

Notez que, comme ci-dessus, vous pouvez aussi renforcer le pronom : « moi, ... je ».

N'oubliez pas les règles à suivre pour utiliser les verbes d'opinion au négatif ; voir G2.7.

Activité 2.3.11 __________

A

Pour expliquer ce que vous voyez et exprimer des opinions sur ces photos du Campus 2 de l'université de Caen, complétez chaque phrase ci-dessous en mettant le verbe qui est entre parenthèses à l'indicatif ou au subjonctif.

Bâtiment des Sciences (vu de loin)

1 Je constate, d'après la photo, que le Bâtiment des Sciences (être) __________ une construction moderne.

2 Je suis sûr(e) qu'il y (avoir) __________ de grandes vitres.

3 Ces vitres, moi, je ne pense pas que ce (être) __________ facile de les nettoyer.

4 Il est évident que le site ne (favoriser) __________ pas les promenades sous les arbres.

Bâtiment des Sciences (vu de près)

5 Il est tout à fait possible que les couloirs (prendre) __________ l'eau quand il pleut.

6 Je doute que l'espace intérieur (pouvoir) __________ servir de terrain de volley-ball : c'est plutôt un passage.

École Supérieure des Ingénieurs

7 Je suis sûr que l'École des Ingénieurs (avoir) __________ été construite en verre.

8 Je ne suis pas certain(e) que la forme du bâtiment (avoir) __________ quelque chose de commun avec la cathédrale de Caen.

Les résidences

9 Il est clair pour moi que les résidences (avoir) __________ été construites trop vite.

10 Je ne pense pas que les résidents (jouir) __________ toujours du calme la nuit.

B

Formulez vos propres opinions sur les photos d'architecture du Campus 2 en utilisant les expressions que vous venez d'apprendre. Contrastez l'architecture de ces bâtiments avec ceux d'Hérouville que vous avez vus dans l'activité 2.3.7. Écrivez 150 à 200 mots.

Activité 2.3.12

A

Lisez le témoignage de Xavier Amice, commerçant qui parle de son quartier, Caen Rive Droite, dans une publication caennaise. Associez à son synonyme chacune des expressions de la page 58.

Xavier Amice est fleuriste. Comme tous ses confrères, il est fier de son métier de commerçant et de son quartier. Restaurants, services de proximité, vêtements, instruments de musiques, fleuristes, métiers de bouche, alimentaire...

Le président de l'association « Caen 2 Rive Droite », qui regroupe 140 commerçants sur les 240 que compte le quartier, égrène la large palette de boutiques à même de répondre à tous les besoins. « En venant nous voir, les habitants, qu'ils soient du quartier ou d'ailleurs, savent qu'ils pourront trouver satisfaction. Mais surtout, nous avons su conserver l'image traditionnelle du commerce avec des clients fidèles qui entretiennent une véritable relation de confiance. Et ce n'est pas par hasard si nous attirons des consommateurs sur un large périmètre de l'agglomération caennaise. »

Parmi les atouts de la Rive Droite, les commerçants avancent la facilité de circulation et une personnalité propre au quartier. « Ici, nous formons un îlot sympathique de petits commerçants et artisans concurrentiels qui savent offrir du conseil, de la qualité et du savoir-faire » souligne Xavier Amice. Mais d'ajouter aussitôt qu'il n'utilise pas le mot « îlot » par hasard. « Bien que nous représentions le quart de la superficie de la ville, nous avons parfois le sentiment d'être à l'écart. Trop de Caennais n'ont pas le réflexe de quitter l'hypercentre pour venir nous voir. »

Le président de l'association explique ce décalage par le poids des habitudes mais aussi par un défaut d'attractivité de l'urbanisme : « Beaucoup d'efforts ont été réalisés dans le domaine immobilier, nous manquons toutefois encore d'espaces verts, de ronds-points fleuris, d'éclairage... autant d'agréments de rues qui apportent un bien-être supplémentaire comme nous avons pu l'apprécier avec les décorations de Noël pour lesquelles cette année il faut noter une nette amélioration. » Le projet d'aménagement du quartier du port est suivi avec beaucoup d'attention : « C'est sans doute une occasion de créer un lien qui nous ouvrirait plus franchement sur le centre-ville et bouleverserait les comportements. » Déjà, Xavier Amice note des signes d'évolution en constatant que les prix de l'immobilier ont tendance à monter : « cela montre que le quartier commence à être convoité ». Raison de plus, considèrent bon nombre de commerçants, pour accompagner ce phénomène. « Si notre avenir repose en grande partie sur la politique publique d'aménagement, il faut aussi que nous comptions sur nous-mêmes pour impulser une nouvelle dynamique. » À ce titre, les commerçants souhaitent organiser [...] une grande brocante qui réunira plus de 300 exposants.

(« Le commerce caennais : Mon quartier à moi », *Caen Magazine*, no. 57, janvier/février 2003, www.ville-caen.fr/mairie/info/caenmag/precedente/57/dossier1d.htm, dernier accès le 25 juin 2008)

Vocabulaire

le président … égrène la large palette de boutiques le président énumère les diverses boutiques (comparaison avec les diverses couleurs sur la palette d'un peintre)

qu'ils soient du quartier ou d'ailleurs pour les habitants du quartier exactement comme pour ceux qui habitent ailleurs

mais d'ajouter mais ensuite il ajoute (cet usage de l'infinitif est réservé aux verbes de narration et ne se trouve que dans des récits)

n'ont pas le réflexe de ne pensent pas spontanément à

1	un confrère	(a)	restaurateurs et cafetiers
2	les services de proximité	(b)	compétitifs
3	les métiers de bouche	(c)	pour les raisons qui viennent d'être évoquées
4	à même de	(d)	beaucoup de
5	propre au quartier	(e)	marginalisé
6	concurrentiels	(f)	un collègue
7	un savoir-faire	(g)	capables de
8	à l'écart	(h)	spécifique à cet endroit
9	bon nombre de	(i)	des compétences pratiques
10	à ce titre	(j)	une vente d'objets d'occasion
11	une grande brocante	(k)	les commerces du quartier

B

Relisez le texte et répondez aux questions suivantes.

1 Pourquoi les habitants ont-ils à cœur de conserver leurs petits commerces ?

2 Expliquez pourquoi Xavier Amice trouve que le quartier reste à l'écart.

3 Comment le projet d'aménagement du port pourra-t-il améliorer la vie commerciale du quartier ?

4 Quelle initiative les petits commerçants ont-ils prise pour promouvoir leur quartier ?

C

Pour la Grande Journée-Brocante de leur association les commerçants de la petite ville de Givy vous demandent de les aider à réaliser une animation sur le thème « Penser la ville ». En vous basant sur ce que vous venez d'étudier dans cette unité, donnez-leur des idées en complétant les mots qui manquent dans le texte suivant.

> Dans l'en_ _ _ _le je suis d'_ _ _ _ _ _ pour assurer une animation. T_ _ _ _ _ _ _s je ne crois pas qu'on p_ _ _ _ _ organiser une vraie v_ _ _t_ d'a_ _ _ _ _ _ _ _e, mais je connais un étudiant en histoire de l'art qui sera ravi de promener les visiteurs sur un large pé_ _ _être de l'agg_ _ _ _ _ _ _ _on de Givy. Je propose aussi un concours de dessins d'enfants sur le thème « Le l_g_ _ _ _t de r_v_ selon les gens », ou « selon Blanche-Neige », « selon Jean Nouvel », etc. À chaque enfant de choisir selon qui ! Mais je ne pense pas qu'une animation s_ _ _ la seule priorité. Pour ceux qui ne connaissent pas e_ _ _ _e la ville, une exposition de photos leur

permettra de comprendre l'évolution de l'u_ _ _ _ _ _ _tion à Givy. Les photos doivent intriguer les g_ _s, et les inviter à la réflexion. Nous avons des images qui remplissent bien cette fo_ _ _ _on, par exemple la photo du Café des Images, avec son as_ _ _t de j_ _ de construction, ou celle de rue de la Citadelle en 1900 avec ses fl_ _ _ _ _ _ _s, ses petits co_ _ _ _ _ _s de p_ _x_ _ _ _é et ses mé_ _ _ _s de b_ _ _ _e. Aujourd'hui, à cause des hypermarchés, elle est peut-être v_ _ é_ au déclin. Mais, comme moi, vous êtes certainement l_ _n d'être d'accord pour dire qu'il y a une f_t_ _ _té et que nous allons i_ _x_ _ _ _ _ _ _ _ _t vers la disparition de nos traditions. Il est t_ _t à f_ _t vrai que notre av_ _ _r repose en grande p_ _ _ _e sur la politique d'am_ _ _g_ _ _ _t du territoire. Pour symboliser notre optimisme et notre humour, voici donc une idée sp_ _ _ _ _ _ _ _ _re pour les éclairages, le m_ _ _l_ _r urbain, les espaces v_ _ _s et les ronds-p_ _ _ _s. Impossible de les revoir entièrement ; par c_ _ _ _e on peut les adapter au thème de la Journée en accrochant partout des ballons en forme de Gros Pandas Volants, symboles de notre Grand P_ _ _ _ _ de Ville !

Session 4 Une société solidaire ?

Pendant cette session vous allez découvrir un aspect de la solidarité citoyenne en France : les actions solidaires autour du logement. Une société solidaire, c'est une société où tout le monde doit avoir un logement, dans des conditions financières correctes, et avec une bonne qualité de voisinage. Vous allez parcourir successivement ces trois dimensions, en suivant les actions d'un organisme qui lutte pour le logement des démunis, en étudiant comment la ville de Caen s'occupe de loger ses administrés, et en découvrant une initiative originale pour faciliter la convivialité dans les immeubles.

Points clés

- G2.8 Les noms abstraits suivis de « à » et de « de »
- G2.9 La différence entre « plus » et « plus »
- G2.10 Bien et bon
- G2.11 Les personnes et les gens
- O2.7 S'exprimer avec force : convictions et exigences
- S2.2 Aider votre révision des constructions grammaticales

Lutter en faveur du logement pour tous

Dans une société solidaire, tous sont prêts à lutter ensemble pour protéger les plus fragiles et les aider à trouver une voie autonome dans la vie. En matière de logement pour les plus démunis, il y a eu beaucoup d'efforts fournis en France par des personnages à haute visibilité médiatique (comme l'Abbé Pierre) et des associations (comme Emmaüs ou Aide à Toute Détresse). Pour en apprendre plus sur leur travail, vous pouvez chercher sur l'Internet (le site du gouvernement français fournit notamment des listes et informations actualisées). Mais une des actions les plus spectaculaires a été celle des Enfants de Don Quichotte. Vous allez découvrir leur façon de lutter pour la solidarité, ainsi que le langage de la revendication sociale.

Activité 2.4.1

A

Lisez le texte et observez l'image ci-contre, puis dites lesquelles des six phrases qui suivent sont en accord avec les idées de l'association.

La volonté de loger les SDF

En France actuellement il y a plus de 150 000 personnes sans domicile fixe (ou SDF). Le problème touche tous les âges mais surtout les jeunes. Plusieurs organisations font campagne pour les soutenir dont une, créée en 2006, est appelée les Enfants de Don Quichotte, pour évoquer la générosité du personnage de Cervantès. L'une des premières actions de ce mouvement citoyen de solidarité avec les sans-domicile-fixe a été l'installation sans permission, une nuit, d'un village d'environ 200 tentes sur les berges du Canal Saint-Martin à Paris, pour les abriter. Les Enfants de Don Quichotte ont un site sur lequel ils ont publié leur « Charte du Canal Saint-Martin » réclamant des mesures pour l'hébergement convenable des plus démunis.

		Oui	Non
1	Nous réclamons une réunion extraordinaire des élus parisiens pour trouver des logements aux sans-domicile-fixe !	☑	☐
2	Nous demandons l'ouverture d'un camp en banlieue pour évacuer les SDF !	☐	☑
3	Il faut stopper la pollution visuelle des berges de la Seine !	☐	☑
4	Il est scandaleux que des personnes envahissent sans permission l'espace public en ville !	☐	☑
5	Nous exigeons l'envoi immédiat de couvertures chaudes aux démunis du canal Saint-Martin !	☑	☐
6	Il est inacceptable que le ministre du logement ne vienne pas sur place voir ce qui se passe afin d'agir pour reloger les personnes !	☑	☐

B

Des bureaux vont être construits au bout de votre rue, causant la démolition d'un petit quartier résidentiel. Complétez les demandes que votre association va présenter à la mairie pour stopper le projet, en utilisant vos propres idées ou des idées empruntées à la session 3.

Exemple

Il est scandaleux de voir...

→ *Il est scandaleux de voir que les résidents ne sont pas consultés/que le projet prévoit une tour de 34 étages.*

1 Nous demandons...

2 Il faut stopper...

3 Nous exigeons de...

4 Nous réclamons...

O2.7 S'exprimer avec force : convictions et exigences

Les phrases 1, 2, 3 et 5 de l'activité 2.4.1 sont des demandes fortes. Pour exprimer votre détermination à obtenir des droits ou des avantages, vous pouvez utiliser des verbes au sens fort, comme « réclamer (que), exiger (que), demander (que), vouloir (que), refuser (que), revendiquer ». Pour tous les verbes suivis de « (que) » dans cette liste, on peut choisir entre une construction avec un nom et une construction avec « que + verbe au subjonctif ».

Nous demandons la liberté pour chacun de dormir sous un toit ! (demander + nom)

Nous demandons que chaque personne en difficulté **reçoive** de l'aide financière. (demander + que + verbe au subjonctif)

On peut aussi utiliser des expressions impersonnelles comme :

- il est scandaleux/inacceptable/intolérable + de + nom/verbe à l'infinitif
- il est scandaleux/inacceptable/intolérable + que + verbe au subjonctif

- il faut (absolument/impérativement) que + verbe au subjonctif

  Il est intolérable de voir le gâchis de notre société de consommation.

  Il est scandaleux que certains **aient** deux résidences quand d'autres dorment dans la rue.

Le langage de la revendication est assez formel, dans les discours écrits aussi bien qu'oraux : par exemple « nous » est utilisé plutôt que « on », et « il est » plutôt que « c'est ».

Activité 2.4.2

A

Lisez les extraits de la charte des Enfants de Don Quichotte et regroupez les morceaux de phrases page 63 qui expriment les exigences de l'organisation.

CHARTE DU CANAL ST-MARTIN

POUR L'ACCÈS DE TOUS À UN LOGEMENT

PRÉAMBULE

Nous, citoyens et citoyennes, refusons la situation inhumaine que vivent certains d'entre nous, sans domicile fixe. Nous voulons que soit mis fin à ce scandale, à la honte que cela représente pour un pays comme le nôtre.

La Constitution garantit le droit à la dignité, à des moyens convenables d'existence, et nous avons un devoir d'assistance à personne en danger. Nous n'acceptons plus que les plus fragiles ou les plus pauvres soient laissés au bord de la route.

Il faut rompre avec les solutions provisoires, les logiques d'urgence qui aggravent la précarité et condamnent tant de personnes à une souffrance insupportable, et même certaines à une mort prématurée.

Nous demandons à l'État de mettre en place dès aujourd'hui une politique ambitieuse garantissant l'accès de tous à un vrai logement, à travers les mesures suivantes. Pour la dignité de tous.

ARTICLE 1

Ouvrir les structures d'hébergement 24h/24h, 365 jours par an, et humaniser les conditions d'accueil

Parce que certains centres d'hébergement sont inadaptés, parce que beaucoup de personnes sans domicile fixe refusent d'y aller, il faut humaniser les conditions d'accueil dans les foyers :

- Ouverture 24h/24h, 365 jours par an de tous les centres d'hébergement
- Mise en place de locaux décents et à taille humaine
- Accueil en chambre individuelle ou double si désirée
- Garantie de places accessibles pour les couples et les personnes ayant des chiens
- Participation des personnes à la vie et l'organisation du centre
- Renforcement de l'accompagnement social

Les locaux ne permettant pas de répondre à ces exigences doivent être fermés et remplacés par des structures adéquates. Le nombre de places doit être ajusté à la demande, pour que nul ne reste sans hébergement.

(Les Enfants de Don Quichotte, *Charte du Canal St-Martin*, 25 décembre 2006, http://www.lesenfantsdedonquichotte.com/v4/pdf/charteducanalsaintmartin.pdf, dernier accès le 25 juin 2008)

1	Nous, citoyens et citoyennes, refusons	(a)	d'assistance à personne en danger
2	Nous voulons	(b)	que les plus fragiles soient laissés
3	Nous avons un devoir	(c)	à l'État de mettre en place
4	Nous n'acceptons plus	(d)	humaniser les conditions d'accueil
5	Nous demandons	(e)	la situation inhumaine que vivent certains d'entre nous
6	Il faut (dans le préambule)	(f)	que soit mis fin à ce scandale
7	Il faut (dans l'article 1)	(g)	rompre avec les solutions provisoires

B

Trouvez dans l'article 1 de la charte les solutions aux six problèmes ci-dessous. Vous utiliserez « il faut + infinitif » pour les exprimer.

1 Les hébergements ne sont pas toujours accessibles la nuit.

2 Certains locaux ne sont pas vraiment décents.

3 Les centres n'offrent que des dortoirs collectifs.

4 Dans les chambres, les animaux de compagnie sont interdits.

5 Les centres sont organisés par les personnels, sans que la moindre attention soit portée aux personnes accueillies.

6 Les utilisateurs des centres ne bénéficient d'aucun accompagnement social.

G2.8 Les noms abstraits suivis de « à » et de « de »

Quand un verbe ou une expression verbale est suivi de la préposition « à », le nom abstrait correspondant est aussi suivi de « à ».

avoir droit à – le droit à la dignité

avoir accès à – l'accès à un vrai logement

participer à – la participation (des personnes) à la vie et l'organisation du centre

répondre à – notre réponse à vos exigences

Quand le verbe n'est pas suivi d'une préposition, le nom abstrait correspondant est suivi de « de » :

garantir les places – la garantie de places

humaniser les conditions d'accueil – l'humanisation des conditions d'accueil

Rafraichissez éventuellement vos connaissances de l'accord du partitif « de » (« des », « du ») après un nom, en consultant votre livre de grammaire.

S2.2 Aider votre révision des constructions grammaticales

Nous vous suggérons de vous constituer des notes personnelles pour mieux mémoriser les constructions grammaticales. Par exemple, lorsque vous rencontrez des verbes suivis de prépositions, faites-en deux listes. Intitulez la première « V + de », et la deuxième « V + à ». Ajoutez aussi des exemples de constructions reliées à ces deux catégories de verbes, comme les noms abstraits correspondants (voir G2.8), ou le pronom « dont » (voir G2.2). Ce type d'organisation vous sera d'un précieux secours et vous permettra de gagner du temps, par exemple lorsque vous réviserez pour vos devoirs ou vos examens.

C

Examinez ce tableau des associations d'aide aux démunis, et attribuez à chaque organisation une action qu'elle a récemment déployée, prise dans la liste qui suit.

Nom de l'association	Extraits de sa mission
1 ATD Quart Monde	Lutte contre la grande pauvreté et l'exclusion sociale par l'échange et l'éducation (pas de distribution de biens ni d'argent)
2 Emmaüs	Travaille avec les autorités locales pour favoriser la réinsertion dans un logement et le maintien des précaires dans leurs foyers
3 Institut de l'Humanitaire	Étudie l'impact sur les personnes vulnérables des crises sociétales et les réponses politique apportées
4 Médecins du Monde	Soigne les populations dans des situations de crise
5 Le SAMU Social	Surveille les phénomènes d'errance et intervient dans la rue pour soigner, orienter et accompagner les sans-abris
6 Secours Catholique	Réalise des projets concrets d'aide aux populations marginalisées
7 Secours Populaire	Fournit une solidarité d'urgence basée sur l'alimentaire

(a) Organisation d'une distribution nocturne de couvertures anti-hypothermie

(b) Organisation d'un atelier gratuit Ronde des Légumes pour présenter aux familles précaires des façons peu chères de se nourrir sainement

(c) Offre d'une aide scolaire pour les enfants des gens du voyage, Roms et Tziganes

(d) Déploiement d'une clinique mobile dans une zone sinistrée en Asie

(e) Conduite d'une recherche sur l'inégalité d'accès au logement des personnes en région lyonnaise

(f) Mobilisation par Internet des propriétaires de logements vacants pour qu'ils louent à des familles en difficulté, sous la tutelle de la mairie de Paris

(g) Mise en place d'un réseau de bibliothèques de rue

D

Vous appartenez à l'Association Un Toit Pour Tous, et on vous a chargé de rédiger l'article 4 de sa charte, qui a pour titre « Donner un toit à tous ceux qui n'en ont pas ». Rédigez l'article en commençant par déplorer les injustices du logement, puis expliquez ce qu'il faut faire pour que tous aient un toit. Utilisez le langage de la revendication, et n'oubliez pas de fournir un ou deux exemples d'actions souhaitées. Écrivez 150 à 200 mots.

Le logement social

L'État français aide ceux qui ne peuvent pas acheter et vivent dans des appartements ou des maisons subventionnés, en location. Comment il le fait, c'est ce que vous allez voir au début de la section suivante. Pour organiser la distribution et la maintenance de ces logements sociaux, l'État s'appuie sur ses mairies, qui, parfois, emploient des agences pour gérer l'ensemble des logements à louer, leur patrimoine locatif. Caen Habitat est l'une de ces agences, dont vous allez découvrir l'implantation géographique et les services. Vous apprendrez aussi comment on parle du logement et quels sont les documents les plus importants pour faire une demande de logement.

Activité 2.4.3

A

Lisez le texte ci-dessous, qui donne des renseignements sur la politique française pour le logement social, et reliez chacun de nos quatre résumés au paragraphe 1, 2, 3 ou 4 du texte.

> §1 Offrir à tous les conditions de se loger décemment, tel est l'objectif de la politique du logement social [...].
>
> §2 Le volet logement du Plan de cohésion sociale présenté en Conseil des ministres le 30 juin 2004 prévoit, pour répondre à la crise du logement, un programme d'urgence en matière de construction de logement locatifs sociaux qui passera de 80 000 logements en 2004 à 120 000 en 2009 (soit 500 000 en cinq ans), une mobilisation du parc privé avec pour objectif le conventionnement de 200 000 logements privés à loyer maîtrisé et le renforcement de l'accueil et l'hébergement d'urgence [...].
>
> §3 L'État distribue des aides au logement aux locataires disposant de faibles revenus. En 2002, 13,3 milliards d'euros d'aides personnelles sont versés à 6,2 millions de ménages pour financer leurs dépenses courantes de logement. Il agit également en direction de publics ciblés, par exemple les jeunes, pour garantir à tous l'accès au logement.
>
> §4 Enfin, pour l'État le droit au logement demeure l'un des vecteurs de la cohésion sociale et de la lutte contre les exclusions. Des résidences d'urgence pour loger des personnes sans domicile fixe, aux logements très sociaux à usage de réinsertion de publics fragilisés, les dispositifs prévus sont nombreux. Certains interviennent en amont en prévenant les expulsions et en assurant le maintien des personnes en difficulté dans leur logement. D'autres, en outre, visent à résorber l'insalubrité et lutter contre « les marchands de sommeil ».
>
> (« Le logement social (2000–2005) – De la loi Solidarité et renouvellement urbain au Plan de cohésion sociale », janvier 2005, www.vie-publique.fr/politiques-publiques/logement-social/index/, dernier accès le 25 juin 2008)

Vocabulaire

le volet logement la partie concernant le logement

parc privé ensemble des logements qui appartiennent à des propriétaires privés

le conventionnement la mise sous contrat légal

à loyer maîtrisé avec un loyer que l'État contrôle et qui, donc, n'augmentera pas arbitrairement

les marchands de sommeil les propriétaires qui exigent des loyers exorbitants pour des logements insalubres

(a) Le paragraphe évoque les aides financières mises en place par l'État. 3

(b) Le paragraphe énumère les mesures d'urgence pour fournir des logements aux personnes pouvant payer. 2

(c) Le paragraphe révèle en une phrase le but de la politique sociale. 1

(d) Le paragraphe traite des mesures destinées à ceux que ne peuvent pas payer. 4

B

Répondez aux questions en cochant la lettre qui convient.

1 Quel est le but de la politique du logement social ?
   - (a) Offrir un logement à chacun ☐
   - (b) Offrir à tous la possibilité de trouver un logement décent ☐
   - (c) Offrir un logement sans conditions ☐

2 Que prévoit le plan de cohésion sociale pour le secteur public en matière de logement ?
   - (a) La construction de 500 000 logements en 2004 ☐
   - (b) La création d'hébergement d'urgence ☐
   - (c) Le renforcement de l'accueil d'urgence ☐

3 En l'an 2002, comment le gouvernement a-t-il aidé les personnes à faibles revenus ?
   - (a) En dépensant 13,3 millions d'euros sur 6,2 mille ménages ☐
   - (b) En construisant de nouveaux accès aux appartements ☐
   - (c) En distribuant des aides aux propriétaires de logements ☐

4 Le gouvernement a aussi ciblé...
   - (a) les personnes âgées ☐
   - (b) les étudiants ☐
   - (c) les jeunes ☐

5 Pour l'État le droit au logement est essentiel pour...
   - (a) établir de bons rapports sociaux ☐
   - (b) encourager l'exclusivité ☐
   - (c) décourager les exclusions ☐

6 Donnez un exemple de services fournis pour venir en aide à la population fragilisée.
   - (a) Des logements d'urgence ☐
   - (b) Des appartements à loyer modéré ☐
   - (c) Le placement en foyer de personnes fragilisées ☐

C

Remplissez les trous avec « à » ou avec « de », et n'oubliez pas de changer la forme de l'article si nécessaire.

1 Ils expriment leur refus ________ une telle situation.

2 L'accès des petits ruraux ________ les écoles maternelles n'est pas toujours garanti.

3 Leur réaction ________ les plaintes des voisins consiste à répéter que la décision est irréversible.

4 On a constaté un renforcement ________ les mesures de sécurité dans les aéroports.

5 C'est l'acceptation ________ le scandale par la mairie qui me choque.

6 Ils n'ont même pas le droit ________ un salaire convenable.

7 Quand aurons-nous votre réponse ________ nos exigences ? *Why not aux?*

Activité 2.4.4

A

Lisez les informations sur le site de Caen Habitat, l'organisme qui gère l'habitat social de la ville de Caen, et répondez aux cinq questions qui suivent.

Caen Habitat

1er bailleur de l'agglomération caennaise

Créé par la ville de Caen en 1919, Caen Habitat appartient à la catégorie des offices publics de plus de 10 000 logements. Les logements sont répartis sur le territoire de la ville de Caen. Le patrimoine de Caen Habitat est situé essentiellement en couronne de la ville, ce qui a amené la création, dès 1987, de 5 agences de quartier. Elles assurent la gestion quotidienne du parc immobilier et apportent aux habitants un service de proximité. Caen Habitat emploie 250 collaborateurs dont 70% travaillent directement dans les quartiers au service des locataires.

Une activité étendue en constante évolution

Jusqu'à aujourd'hui, l'activité de Caen Habitat est exclusivement locative et s'exerce sur le territoire de la ville de Caen. Cette activité s'appuie sur une offre diversifiée :

- Logement familial
- Logements pour étudiants
- Logements et foyers pour personnes âgées
- Logements et une résidence pour personnes handicapées
- Commerces
- Copropriétés

(Caen Habitat, *Histoire(s) de mieux vivre*, http://www.caenhabitat.fr/webapplication/utilisateur/frames/index.php, dernier accès le 25 juin 2008)

Vocabulaire

bailleur (m.) personne ou organisation qui fournit un logement en location ; un « bailleur social » est une organisation qui gère les logements sociaux

1. Quand l'organisation Caen Habitat a-t-elle été créée ?
2. Quelle est la situation géographique du patrimoine de Caen Habitat ?
3. Qui assure au quotidien la gestion du parc immobilier ?
4. Au service de qui travaille la grande majorité des employés de Caen Habitat ?
5. À qui sont destinés les six types de propriété que gère Caen Habitat ?

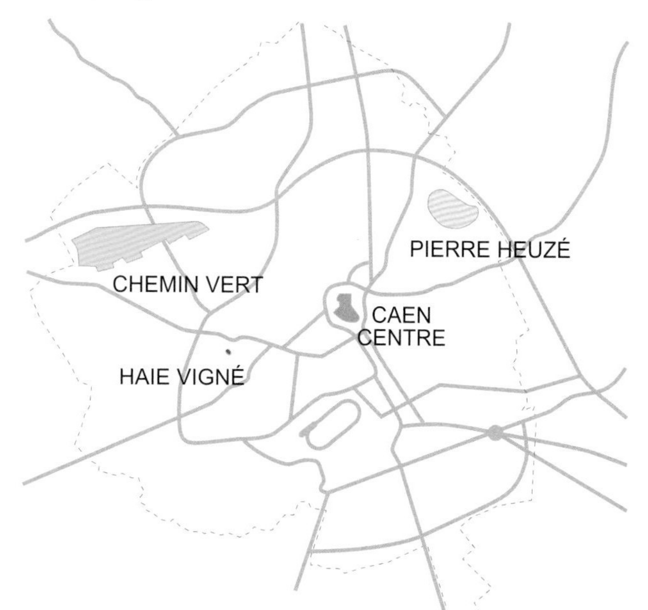

Implantation géographique de trois quartiers gérés par Caen Habitat

B

Vous trouverez mentionnés ci-dessous trois des secteurs dont s'occupe Caen Habitat, et les renseignements qui les concernent. Après avoir consulté la carte de Caen Habitat (et, si besoin est, l'encadré C2.2), choisissez le(s) meilleur(s) secteur(s) pour :

1 Un jeune enseignant célibataire dont les parents, qu'il va voir fréquemment, habitent un village à l'ouest de Caen

2 Un couple avec cinq enfants, dont un est en fauteuil roulant

3 Une jeune architecte, qui ne supporte pas les pavillons, et son époux, qui n'aime pas les appartements de plain-pied

4 Votre cousine, qui passe toute sa journée à jardiner, et veut cependant rester le plus proche possible du centre-ville

(a) Secteur du Chemin Vert : 2692 logements, dont 343 pavillons. Appartements F1 à F6. Également F2 à F5 pour personnes à mobilité réduite.

(b) Secteur Haie Vigné : 60 logements, dont 60 pavillons. Appartements F2 à F4.

(c) Secteur de la Pierre Heuzé : 1399 logements, dont 177 pavillons. Appartements F1 à F7 et duplex F3 à F5. Également F2 à F3 pour personnes à mobilité réduite.

Activité 2.4.5

A

Lisez la description des secteurs du Chemin Vert et de la Pierre Heuzé selon le site de Caen Habitat, et répondez aux questions page 69.

Chemin Vert

Situé au nord-ouest de la ville en bordure du boulevard périphérique, ce quartier doit son nom à un très ancien chemin : le Chemin Vert qui montait directement de la ville à la plaine et était emprunté par les agriculteurs pour se rendre dans leurs champs. C'est une ZUP (zone urbaine prioritaire) qui a été pensée dès les années 60. Sa réalisation a plus précisément débuté en 1964, et s'est achevée en 1975. Le secteur couvre 250 hectares sur lesquels 2692 logements collectifs et 750 maisons individuelles sont proposés (dont 55 appartements en résidence personnes âgées). C'est le patrimoine le plus important de Caen Habitat en terme de logements individuels. Ce quartier, calme et aéré, directement accessible par le périphérique nord, bénéficie de nombreux équipements sportifs (dont une piscine) et de multiples services et commerces (2 centres commerciaux). Il est le lien entre ville et campagne.

Pierre Heuzé

Ancienne carrière de pierres appartenant à un nommé Heuzé, le site de la Pierre Heuzé a gardé sa vocation agricole jusqu'en 1971. Le quartier a vu sa population évoluer à partir du secteur central appelé Le Rognon, en raison de sa forme géographique. Ce patrimoine, composé de 1399 logements, du F1 au T7, bénéficie d'un environnement bien aménagé pour les familles (aires de jeux, espaces verts). De nombreux organismes et administrations y ont établi leur siège social, au nord et au sud du quartier. Situé au nord-est de la ville, à la limite des communes de Caen et d'Hérouville St Clair, la Pierre Heuzé est un quartier mixte, composé de logements sociaux et de copropriétés privées, et riche de 9 000 habitants. Il est desservi par le tramway permettant de rejoindre rapidement le centre-ville.

(Caen Habitat, http ://www.caenhabitat.fr/webapplication/utilisateur/frames/index.php, dernier accès le 25 juin 2008)

Vocabulaire

T7 équivalent (peu utilisé de nos jours) de F7

1 D'où viennent les noms des deux secteurs ?

2 Dans le passé quelle activité économique les deux secteurs avaient-ils en commun ?

3 Quelle est la forme géographique du secteur central de la Pierre Heuzé ?

4 Par quels moyens de transport peut-on aller dans l'un et l'autre de ces quartiers ?

5 On ne trouve plus de champs à partir de quelle date...

(a) au Chemin Vert ?

(b) à la Pierre Heuzé ?

B

Ces deux textes ont presque la même structure : reconstituez celle du texte sur le Chemin Vert en réordonnant ces cinq résumés.

1 Statistiques sur le logement dans le quartier

2 Formule qui résume la fonction du quartier

3 Évolution dans les années soixante–soixante-dix

4 Appréciations sur les avantages de la vie dans le quartier

5 Étymologie du nom du quartier

C

Rédigez une brève description d'un village/ville ou quartier, où vous habitez ou bien que vous connaissez, en suivant le style et la structure de texte sur le Chemin Vert. Écrivez 150 mots maximum.

G2.9 La différence entre « plus » et « plus »

> L'urbanisation a **plus** précisément débuté en 1964.
>
> On ne trouve **plus** de champs à partir de 1964.

Ces deux utilisations de l'adverbe « plus » sont à distinguer l'une de l'autre. Dans la première phrase « plus » est le contraire de « moins » (adverbe comparatif). Dans la deuxième phrase, avec la particule « ne », « plus » indique que quelque chose a cessé (ici que les champs ont cessé d'exister ; adverbe de négation).

Autre exemple, pris dans la charte des Enfants de Don Quichotte, qui comporte de nombreux exemples de « plus » :

> Nous **n'**acceptons **plus** que les **plus** fragiles ou les **plus** pauvres soient laissés au bord de la route. (*We **no longer** accept that the poor**est** or **most** vulnerable people should be left at the side of the road.*)

Dans la phrase ci-dessus, le premier « plus » est un adverbe de négation et les deux « plus » suivants sont des adverbes comparatifs.

Voici quelques indices à repérer quand vous entendez ou prononcez l'adverbe « plus » :

1 Dans la construction « ne ... plus », les Français omettent souvent la particule « ne » à l'oral. Et souvent aussi, ils omettent le « l » de l'adverbe. Par exemple dans le dessin ci-dessous, la femme est contente et dit : « J'ai pus de travail ! ». Mais il arrive aussi aux Français d'omettre le « ne » et de prononcer le « l » : « j'ai plus de travail ! ». Dans ce cas, c'est uniquement le contexte qui vous permet de savoir que « plus » signifie l'adverbe négatif « plus ».

J'ai p(l)us de travail. (*I have no more work*)

2 Quand « plus » est le contraire de « moins », le « s » final est souvent prononcé :

Du sucre ? Oui, il en faut plus [s].

... ou encore, avant une voyelle :

Hier il est arrivé à six heures, et ce matin il est venu encore plus [z] en avance.

Mais attention, parfois le « s » n'est pas prononcé ! Les Français eux-mêmes sont souvent dans le doute, et demandent clarification à leur interlocuteur. N'hésitez donc pas à faire la même chose !

– Il faut plus de sucre dans les fraises !

– Tu veux dire « pas de sucre » ou « plus [s] de sucre » ?

J'ai plus de travail que Paul. (*I have more work than Paul*)

Activité 2.4.6

A

Lisez ci-dessous la liste de certains documents que l'on demande aux personnes avant de leur attribuer un logement social, et faites correspondre chaque document à sa description.

1 La carte d'identité	(a) Permet à un étranger domicilié en France d'y rester, mais pas plus de 3 mois
2 Le livret de famille	(b) Une déclaration de taxes payées et à payer
3 Un titre de séjour en cours de validité	(c) Un document permettant de prouver le lien juridique entre époux et entre parents et enfants
4 Un avis d'imposition sur le revenu	(d) Un document d'identité qui permet plus de mobilité pour les membres de l'Union européenne, qui peuvent ainsi voyager en Europe sans passeport
5 Une quittance de loyer récente	(e) Un document qui prouve que la personne attend un enfant
6 Une attestation de l'employeur	(f) Un document qui montre que la personne ne peut plus habiter à son domicile conjugal
7 Un certificat médical de grossesse	(g) Un document qui prouve que la personne a besoin de se loger dans un lieu différent pour des raisons liées à son travail
8 Photocopie du jugement de divorce	(h) Un document qui prouve que la personne est locataire et qu'elle est à jour dans ses paiements
9 Attestation de mutation professionnelle	(i) Un document vérifiant l'emploi occupé par le salarié

B

Trois des descriptions de l'étape A comportent des expressions avec « plus ». Réécrivez chacune de ces expressions sans utiliser cet adverbe.

C

Caen Habitat demande aux locataires prospectifs de fournir des pièces de quatre types différents, pour justifier de leur :

(a) situation personnelle ;

(b) situation financière ;

(c) situation professionnelle ;

(d) conditions de logement actuelles.

Classez chacun des documents 1 à 9 que vous venez d'étudier dans une de ces catégories.

D

À la requête de votre voisine Julia Walwein, qui maîtrise mal le français, vous avez accepté de rédiger une lettre circonstanciée pour accompagner sa demande de logement. Rédigez la lettre que Julia enverra au responsable du service location de Caen Habitat. Indiquez la cause de la demande (au choix : divorce, grossesse, rapprochement familial, embauche, mutation professionnelle) et énumérez les attestations que Julia a rassemblées, sur sa situation personnelle, financière et professionnelle, et sur ses conditions de logement actuelles. Écrivez 150 mots maximum, salutations exclues.

La vie associative

En France les associations qui n'ont pas l'objectif de réaliser des bénéfices financiers s'appellent des « associations loi 1901 ». La loi 1901 a sa source dans la formation des syndicats ouvriers et dans la lutte contre les tentatives politiques ou guerrières de contrôle sur les rassemblements de personnes au début du vingtième siècle. Les associations loi 1901 sont très variées, et s'occupent d'aider les démunis, comme Les Enfants de Don Quichotte, ou de développer des secteurs d'activité mal soutenus par l'État et le secteur privé, ou tout simplement d'améliorer le fonctionnement de la vie des citoyens. Vous allez voir comment celles d'Hérouville animent leur ville, pour une plus grande solidarité entre tous.

Activité 2.4.7

A

Lisez l'extrait du journal municipal de Hérouville et dites si les affirmations sur la vie associative à Hérouville sont vraies ou fausses.

Vœux : L'équipe municipale rend hommage aux associations

Le tissu associatif hérouvillais est dense, et propose tous les ans de nombreuses animations qui font d'Hérouville une ville active. L'équipe municipale, par la voix de son maire Rodolphe Thomas, a présenté ses vœux à ces hommes et ces femmes qui font vivre la ville. « Vous êtes créateurs d'événements et générateurs de lien social » a rappelé le maire. Et ces associations peuvent compter sur la municipalité : « Les subventions représenteront en 2007 un peu plus de 3 millions d'euros, et nous sommes fiers de cet engagement à vos côtés ».

Le maire a notamment rendu hommage au dynamisme des associations sportives : « Témoin du succès sportif de la commune, alors qu'en France les clubs perdent des adhérents, à Hérouville le nombre de licenciés est en augmentation pour la quatrième année consécutive ». Soulignant également qu'Hérouville devenait « un grand terrain de jeux, les espaces créés au cœur des quartiers, les équipements structurants rénovés, permettent une pratique sportive de tout niveau à tout âge ».

(« Vœux : L'équipe municipale rend hommage aux associations », *Hérouville en clair*, no. 23, février–mars 2007, www.herouville.net/iso_album/32p02_07bassedef.pdf, dernier accès le 25 juin 2008)

		Vrai	Faux
1	Il y a beaucoup d'associations à Hérouville.	☐	☐
2	Les événements ont lieu tous les deux ans.	☐	☐
3	Le maire a souligné l'importance du travail de ceux qui font vivre la ville.	☐	☐
4	Les associations doivent subvenir à leurs besoins sans aide financière.	☐	☐
5	D'après le texte, en 2007 elles auront moins de trois millions d'euros à leur disposition.	☐	☐
6	Les associations sportives de la ville ont plus d'adhérents qu'il y a trois ans.	☐	☐
7	Les Hérouvillais désirant pratiquer un sport doivent être de haut niveau.	☐	☐
8	L'impact des associations sportives est ressenti par des personnes de tous les âges.	☐	☐

G2.10 Bien et bon

« Bien » s'utilise pour signifier d'une grande qualité (physique ou morale), d'une haute tenue.

« Bon » s'utilise pour dire que quelque chose est une excellente idée et apporte de la satisfaction. Dans tous les usages illustrés ci-dessous, « bon » est invariable parce que c'est un adverbe, et non pas un adjectif.

Les significations de « bien » et « bon » sont proches, et il est parfois difficile de les distinguer. Par exemple la phrase :

> Vous êtes des créateurs d'événement et ça c'est **bien** pour la ville.

... est très proche de :

> Vous êtes des créateurs d'événement et ça c'est **bon** pour la ville.

Dans le premier exemple « bien » suggère quelque chose qui met en valeur la situation et la réputation de la ville, tandis que « bon » dans le deuxième exemple introduit une petite nuance un peu plus sensuelle : il suggère quelque chose qui fait plaisir à la ville et aux résidents de la ville.

De même, ils sont proches quand ils sont utilisés seuls, dans une exclamation :

> **Bon/bien** !
>
> **Bon/bien**, j'ai fini !
>
> **Bon/bien**, je m'en vais !

Mais il y a quelques indices pour savoir lequel utiliser :

1 « bien » avec un participe passé :

> c'est bien conçu ; bien joué ! bien vu ! bien cuit !

2 « bien » dans des expressions comme les suivantes :

bien entendu ! ça s'est bien passé !
tout est bien qui finit bien !

ou bien ... ou bien ...

3 « bon » dans l'expression « ça sent bon »

4 « bien » dans l'expression « se sentir bien »

5 Noter que « bon » s'emploie souvent après « c'est », dans les expressions qui parlent de réussite, de confort ou de nourriture.

Les poires, c'est **bon** !

Ah, la soirée au coin du feu, que c'est **bon** !

B

Choisissez « bien » ou « bon » pour remplir les trous.

1 À Hérouville, les équipements sont __________.

2 Trop de subventions, ce n'est pas __________ pour le dynamisme de la communauté.

3 La pratique sportive à tout âge, c'est __________ pour la santé !

4 À la réunion, un résident a essayé de provoquer une querelle, mais les gens ont été très __________ , ils sont restés calmes.

G2.11 Les personnes et les gens

À Hérouville, les **gens** se sentent bien ! Plusieurs **personnes** l'ont exprimé dans les reportages que nous avons lus.

« Personnes » et « gens » ont la même signification mais ils se distinguent de deux façons :

1 « Personne(s) » peut s'utiliser au singulier et avec des qualificatifs comme « chaque, aucune, plusieurs, quelques ». Au contraire, « gens » est toujours au pluriel, et n'est jamais accompagné de qualificatifs. Il indique une quantité non précisée.

J'ai vu **plusieurs personnes** dans la salle.

J'ai vu **des gens** dans la salle.

2 Le contexte d'utilisation de « gens » est un peu plus informel que pour « personne(s) ». Par exemple dans les documents écrits, comme la charte des Enfants de Don Quichotte, ou les situations officielles à l'oral, on préférera le mot « personne(s) », alors que dans la conversation, on aura tendance à parler des « gens ».

Les personnes qui ont un passeport doivent s'adresser au guichet 2.

T'as vu, **les gens**, comment ils sont habillés ?

Activité 2.4.8

A

Lisez l'extrait ci-dessous pour apprécier un des nouveaux projets associatifs d'Hérouville et cochez les cases qui conviennent pour compléter les phrases qui suivent.

Parents et enfants ont maintenant « leur » café

Lieu de convivialité et d'échange, « le café des parents et des enfants » vient d'ouvrir ses portes, dans la zone artisanale de la Grande Delle. Un café associatif pas comme les autres à découvrir au plus vite !

[...]

Installé depuis le 30 janvier dans des locaux rénovés de la zone artisanale de la Grande Delle, ce nouveau lieu se veut avant tout convivial et ludique. La ville d'Hérouville n'a pas été « choisie » au hasard pour ce projet. « On se sent bien ici » explique Christèle. « De plus, il n'existait pas de lieu d'accueil parents–enfants à Hérouville. On répond à un vrai besoin de la population, en complément des structures déjà présentes. » Dans un espace spacieux et accueillant, Christèle et Laurence proposent aux parents de passer un moment agréable, autour d'une boisson. Egalement au programme pour ceux qui le souhaitent, des échanges à thème, des conférences, ou encore des ateliers, animés par des professionnels ou des parents. Un point info permet aussi de « renseigner les parents sur les différentes structures qui peuvent les concerner » précise Christèle. Le café des parents et des enfants vit grâce aux parents qui sont invités à proposer des animations, des thèmes. « C'est un partage d'expérience, et nous sommes là pour faire le lien » expliquent les deux animatrices. Les enfants trouvent également leur bonheur, avec les nombreux jeux mis à leur disposition.

(« Parents et enfants ont maintenant leur café », *Hérouville en clair*, no. 24, avril–mai 2007)

1 Le Café des Parents et des Enfants...
- (a) est ouvert depuis un an ☐
- (b) va ouvrir ☐
- (c) vient d'ouvrir ☐

2 Selon le texte, il faut aller le voir...
- (a) tout de suite ☐
- (b) immédiatement ☐
- (c) au plus vite ☐

3 Il se trouve dans...
- (a) un bâtiment neuf ☐
- (b) des locaux insalubres ☐
- (c) des locaux rénovés ☐

4 Hérouville a été choisie parce que les animatrices s'y sentent...
- (a) bonnes ☐
- (b) bien ☐
- (c) présentes ☐

5 Concernant les lieux d'accueil, le texte dit...

- (a) qu'il n'y en avait pas ☐
- (b) qu'il y en avait plusieurs ☐
- (c) qu'il y en avait un mais qu'il n'était pas terminé ☐

6 Au programme, il y a...

- (a) des dégustations ☐
- (b) des discussions ☐
- (c) des activités en groupes ☐

7 Ceux qui mènent les ateliers sont...

- (a) des professionnels ☐
- (b) des militants ☐
- (c) des enfants ☐

8 Le café a pour but de... (choisissez trois options)

- (a) renseigner les parents ☐
- (b) permettre aux parents de faire leurs courses ☐
- (c) faire partager les expériences ☐
- (d) distraire les enfants ☐

9 L'ambiance y est... (choisissez deux adjectifs)

- (a) conviviale ☐
- (b) familière ☐
- (c) sérieuse ☐
- (d) ludique ☐

10 La tâche des animatrices consiste à...

- (a) fournir des repas gratuits aux parents ☐
- (b) s'occuper uniquement des enfants ☐
- (c) proposer un programme inspiré par les parents ☐

B

Votre ami(e) Dominique, qui élève trois enfants seul(e), vous demande conseil pour l'aider à rompre son isolement. Faites-lui une liste des avantages du Café des Parents et des Enfants, en utilisant vos propres mots. Nous avons commencé la liste pour vous :

> Je te recommande le Café des Parents et des Enfants. Tu peux y trouver :
>
> - une ambiance conviviale et ludique
> - ...

Activité 2.4.9

A

Une fois par an, le mouvement Immeubles en Fête permet, par des pique-niques, barbecues ou soirées dansantes, de rassembler des voisins d'immeubles. Regardez la présentation et le dessin sur le site d'Immeubles en Fête. À quoi sert ce site ? Cochez vrai ou faux.

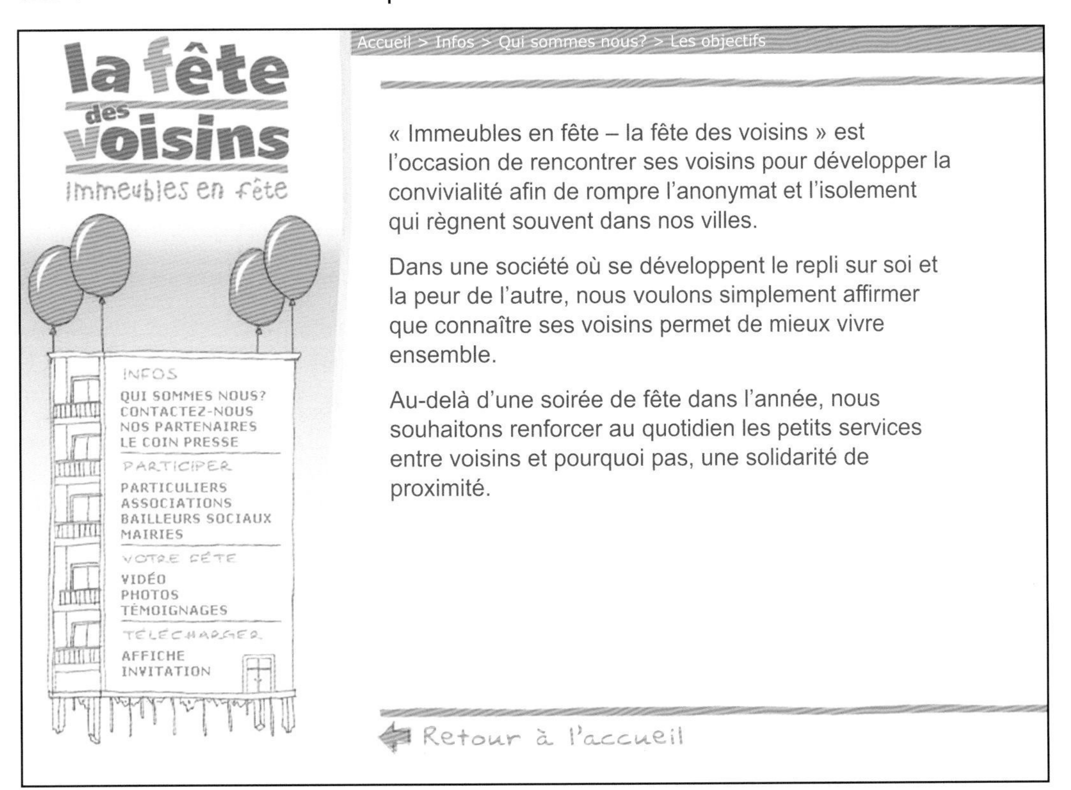

la fête des voisins

immeubles en fête

Accueil > Infos > Qui sommes nous? > Les objectifs

« Immeubles en fête – la fête des voisins » est l'occasion de rencontrer ses voisins pour développer la convivialité afin de rompre l'anonymat et l'isolement qui règnent souvent dans nos villes.

Dans une société où se développent le repli sur soi et la peur de l'autre, nous voulons simplement affirmer que connaître ses voisins permet de mieux vivre ensemble.

Au-delà d'une soirée de fête dans l'année, nous souhaitons renforcer au quotidien les petits services entre voisins et pourquoi pas, une solidarité de proximité.

INFOS
QUI SOMMES NOUS?
CONTACTEZ-NOUS
NOS PARTENAIRES
LE COIN PRESSE

PARTICIPER
PARTICULIERS
ASSOCIATIONS
BAILLEURS SOCIAUX
MAIRIES

VOTRE FÊTE
VIDÉO
PHOTOS
TÉMOIGNAGES

TÉLÉCHARGER
AFFICHE
INVITATION

Retour à l'accueil

(« Immeubles en fête : La fête des voisins », http://www.immeublesenfete.com/index.php4?coe_i_id=39, dernier accès le 25 juin 2008)

		Vrai	Faux
1	À commander des ballons à hélium aux organisateurs de fêtes	☐	☐
2	À visionner des vidéos	☐	☐
3	À organiser l'enlèvement de matériaux après la démolition d'immeubles	☐	☐
4	À demander la rénovation des immeubles en très mauvais état	☐	☐
5	À obtenir un poster	☐	☐
6	À consulter des articles de journaux	☐	☐

B

Le principe d'Immeubles en Fête, c'est que les particuliers et les associations doivent tous faire des efforts pour animer le quartier. Dites si ce sont des particuliers ou des associations qui ont composé les notices suivantes, et donnez trois indices stylistiques qui vous ont permis de le savoir.

Activité 2.4.10

Pour revoir vos connaissances, rédigez un petit article qui a pour titre : « La solidarité et le logement en France : de la lutte à la fête ». Incluez deux ou trois phrases résumant chacun des trois thèmes, « Lutter en faveur du logement pour tous », « Le logement social » et « La vie associative ». Dites en conclusion laquelle de ces trois approches de la solidarité vous préférez et pourquoi. Dans votre article, reprenez si possible des expressions étudiées dans cette session. Écrivez environ 250 à 300 mots.

Session 5 Révision

Voici une liste des principaux points que vous avez étudiés tout au long de cette unité.

Cochez la case correspondante pour indiquer si vous vous sentez vraiment capable de les mettre en pratique.

Si vous n'êtes pas sûr(e) de pouvoir mettre en pratique certains de ces points, revoyez les points clés correspondants et refaites les activités qui leur sont associées.

Je sais…	Oui	Non	Points clés	Activités
Exprimer la cause d'un événement ou d'une situation	☐	☐	• G2.3 Exprimer la cause	• 2.1.6 (B)
Relier des idées en utilisant des pronoms relatifs	☐	☐	• G2.2 « Dont » pour relier deux idées • G2.4 « Ce qui, ce que, ce dont » • G2.5 Le pronom démonstratif « celui, celle, ceux, celles » avec « qui, que, dont »	• 2.1.4 • 2.1.10 • 2.2.13
Utiliser « on » dans différents contextes	☐	☐	• O2.1 Les différents usages de « on »	• 2.1.8
Contraster deux idées	☐	☐	• O2.4 Pour contraster deux idées	• 2.3.3 • 2.3.4 (A)
Exprimer l'accord ou le désaccord	☐	☐	• O2.5 Exprimer l'accord et le désaccord	• 2.3.5 (B)
Exprimer le doute ou la certitude en choisissant le subjonctif ou l'indicatif	☐	☐	• G2.7 Exprimer le doute et la certitude avec le subjonctif et l'indicatif	• 2.3.10 • 2.3.11 (A)
Exprimer mon opinion	☐	☐	• O2.6 Exprimer une opinion	• 2.3.10 • 2.3.11 (A)
Exprimer mes convictions et exigences	☐	☐	• O2.7 S'exprimer avec force : convictions et exigences	• 2.4.1 (B) • 2.4.2 (A)
Parler du logement	☐	☐	• C2.2 Parler du logement • O2.2 Le vocabulaire des publicistes : les adjectifs employés comme noms	• 2.2.3 • 2.2.5

Corrigés

Session 1

Activité 2.1.1

- hautes, trapues, grand, vert
- laides, sombres, vétustes
- cassée, nouvelle, marchande

Activité 2.1.2

Voici des réponses possibles :

1 Sur la photo, Marnia est une petite femme au visage rondelet, qui a les yeux noirs. Elle a de longs cheveux bruns, relevés. Elle porte une robe rayée. Elle paraît mécontente.

2 Sur la photo, Jean-François est un homme au visage carré, habillé de blanc, qui a les cheveux noirs et courts. Il a l'air sérieux.

3 Sur la photo, Marzo est moustachu, élégant, avec un costume noir, une cravate blanche et un chapeau sombre. Il semble très animé.

4 Sur la photo, Agnès est une femme souriante, qui a les cheveux très courts, raides et noirs. Elle a le visage triangulaire et le nez pointu. Elle est bien maquillée. Elle porte un haut noir avec des motifs blancs.

Activité 2.1.3

A

1–(b); 2–(b); 3–(a); 4–(b); 5–(a); 6–(b); 7–(a); 8–(b); 9–(a)

B

Voici l'ordre correct, et nos commentaires sur la progression de l'argumentation. Les mots de liaison sont en gras.

9 Ouverture de la lettre et annonce de l'objectif de l'auteur de la lettre.

6 Introduction générale qui explique ce qui a motivé la lettre.

5 Constatation des effets à plus grande échelle des problèmes de La Villeneuve.

8 Cette phrase présente la première demande au conseil (« nous demandons **d'abord** »). Le fait qu'elle commence avec « **en conséquence** » indique que la lettre va de l'explication à la demande d'action.

3 Ceci exprime la deuxième demande (« il faudrait **également** »).

7 Voici une autre demande à ajouter (« nous demandons **de plus** »).

2 « **Enfin** » indique que c'est la dernière demande.

4 Cette phrase indique le rôle que veut jouer l'auteur de la lettre et clarifie ses attentes principales : une réponse du maire et l'amélioration de la situation.

1 C'est une phrase caractéristique des fins de lettres en style formel. Votre dictionnaire vous proposera d'autres possibilités.

Activité 2.1.4

A

1 L'architecture, c'est le métier **dont** j'ai longtemps rêvé.

2 J'ai loué un des logements **dont** elle s'occupe.

3 Ah ! ils ont enfin construit le beau monument **dont** la ville avait besoin !

4 As-tu visité le musée **dont** je t'avais parlé ?

B

1 dont (parler de)

2 dont (être question de)

3 que (le verbe « voir » est suivi d'un objet direct)

4 dont (avoir besoin de)

5 dont (faire la liste de)

6 que (le verbe « présenter » est suivi d'un objet direct)

7 dont (rêver de)

8 qu' (le verbe « trouver » est suivi d'un objet direct)

Activité 2.1.5

A

Causes qui motivent ceux qui partent	Causes qui motivent ceux qui restent
• Les appartements sont trop petits • Le vandalisme et la violence • La circulation	• La proximité des magasins • Les voisins sont gentils • La gare est à côté

B

Les expressions qui suivent « parce que » comprennent un verbe. Les autres (qui suivent « à cause de ») comprennent un nom.

Activité 2.1.6

A

Le bon ordre est 2, 4, 1, 3.

B

1 Parce que La Grenière est surpeuplée.

À cause de la surpopulation (ou du surpeuplement).

2 Parce que les images sont banales.

À cause de la banalité des images.

3 Parce que certaines cultures imposent le mariage forcé.

À cause des cultures qui imposent le mariage forcé.

4 Parce que certains enfants sont en échec scolaire.

À cause des enfants en échec scolaire.

5 Parce qu'il n'y a pas de bus (pour aller en ville).

À cause du manque de bus (pour aller en ville).

Activité 2.1.7

1–(e); 2–(a); 3–(c); 4–(d); 5–(b)

Activité 2.1.8

1 **On a** décidé de déménager.

2 Venez avec nous, **on va** au centre commercial.

3 Si vous avez besoin de nous, **on sera** au deuxième étage chez Christophe.

4 Ah, si **on avait** de la place pour recevoir les amis !

5 **On** te **verra** au Café de l'Avenue plus tard.

6 Nous, **on habite** avec nos parents et notre frère dans cette nouvelle maison.

Activité 2.1.9

A

Les adjectifs à identifier sont :

malheureux, mauvaise, graves, tristes, vieux, invivables, sale, déprimant, gros (qui est négatif dans ce contexte), pessimiste

B

- ce que (il y en a 3 exemples dans la première partie de la lettre)

  Malheureusement **ce que** je vais faire dans ma réponse, c'est te déconseiller de poursuivre ce projet.

  Ce que je crois sincèrement, c'est que tu seras malheureux ici.

  Ce que les gens disent ici, c'est que ça ressemble à la Grande Muraille de Chine.

- ce dont (1 exemple en milieu de lettre)

  Surtout, **ce dont** se plaignent les habitants, c'est que tout est sale.

- ce qui (2 exemples en fin de lettre)

  Et puis tout le monde connaît tout le monde, **ce qui** peut avoir des avantages, mais aussi de gros inconvénients !

  Par contre, **ce qui** est réussi, c'est le parc !

Activité 2.1.10

A

1 il ne connaissait pas le quartier : objet

2 les voitures stationnent n'importe où : objet

3 les appartements ont de larges balcons : sujet

4 nous avons une vue sur toute la ville : sujet

B

1 *He said he didn't know the area, which I totally believe.*

2 *Cars park anywhere/everywhere, which the residents complain about.*

3 *The flats have wide balconies, which has its advantages.*

4 *From our window we have a view of the whole town, which is very pleasant.*

C

1 Ce dont ils ont envie, c'est d'un grand appartement !

2 Ce dont vous rêvez, c'est de fonder un club de danse !

3 Ce qu'on a oublié, ce sont les contraintes de la vie en banlieue !

4 Ce dont Agnès a peur, c'est d'être agressée !

5 Ce qui est idéal pour les enfants, c'est le grand parc !

6 Ce que je veux, c'est une cuisine moderne !

Activité 2.1.11

Voici une lettre possible :

Mon cher Quentin,

J'ai bien reçu ta lettre où tu m'annonces que tu veux venir habiter à Valorme. Je trouve que c'est une excellente idée. Autrefois, Valorme était un quartier un peu déprimant. Aujourd'hui, il y a naturellement quelques petits problèmes, comme dans toutes les villes, mais la population a changé. Elle est très cosmopolite et très sympa. On est admiratif devant les bâtiments et l'architecture. Les appartements sont spacieux et parfaits pour les familles nombreuses. En plus, pour les enfants c'est idéal car il y a de merveilleux espaces verts. Tout est propre et calme.

Claude et moi, on va à la gare sans avoir à prendre notre voiture. Tu vois, il y beaucoup d'avantages. En gros, c'est un quartier agréable où tout le monde connaît tout le monde ! Toi et moi, on pourra même se retrouver au Café de l'Avenue, c'est à deux pas !

Je suis donc très heureux(se) de ta décision. Dis-moi quand tu comptes venir. J'irai te chercher à la gare.

À bientôt.

Amitiés

Activité 2.1.12

A

En juin–juillet	• interviews de 120 personnes • réalisation d'une enquête audiovisuelle
En septembre	• organisation de trois réunions publiques ; participation de 1 200 personnes • inscription de 200 personnes dans des groupes de propositions
En octobre	• formation de deux groupes • réunions des groupes de travail (ou de propositions) ; participation de 140 personnes, élaboration de 269 propositions
En octobre–novembre	• travail des élus et services municipaux sur les propositions de ces groupes
En novembre	• organisation d'un forum • engagement du maire

B

Voici quelques questions possibles pour une enquête sur La Villeneuve :

1 Comment trouvez-vous le quartier de La Villeneuve ?

2 Que pensez-vous des appartements à l'intérieur des immeubles ?

3 Qu'est-ce qui est réussi à La Villeneuve ?

4 Qu'est-ce qu'il y a à faire le soir ?

5 Vous sentez-vous en sécurité dans ce quartier ?

C

Voici des réponses possibles :

1 **Marnia :** Je suis ici parce que j'ai une famille nombreuse. Mes cinq enfants ne peuvent pas faire leurs devoirs à cause du bruit. Ils n'ont pas d'espace personnel parce que leur chambre est trop petite.

2 **Jean-François :** Je suis venu à la réunion parce que j'ai fait partie de l'équipe qui a construit La Villeneuve. Je sais que des familles sont parties à cause de certaines erreurs d'urbanisme, mais je suis parmi vous parce que je désire travailler à l'amélioration du quartier.

3 **Marzo :** Je suis présent aujourd'hui à cause de ma passion pour le tango. Je veux empêcher la démolition de la salle de danse parce qu'il est important d'encourager les activités artistiques collectives.

4 **Agnès :** Me voilà devant vous à cause d'une agression dont j'ai été victime un soir. On m'a attaquée parce qu'il n'y avait pas de vigiles. Je demande une meilleure surveillance des parkings parce qu'ils attirent les voyous.

Activité 2.1.13

A

1–(e); 2–(f); 3–(g); 4–(b); 5–(d); 6–(h); 7–(a); 8–(c)

B

(a) – paragraphes 1, 2, 6

(b) – paragraphe 4

(e) – paragraphe 3

La Charte de Hautval ne parle pas d'éducation, d'emploi ni d'ouverture sur le centre-ville.

C

Voici les infinitifs à identifier et des synonymes possibles :

- créer – réaliser
- mettre à jour – actualiser
- mettre en valeur – valoriser
- resserrer – renforcer
- favoriser – promouvoir/encourager
- soutenir – agir en faveur de

D

Voici deux engagements possibles :

1 Créer une entrée de ville accueillante en dissimulant les grandes poubelles de recyclage par une haie et des bacs de fleurs. Un recrutement de trois personnes supplémentaires pour la section jardins-espaces verts est prévu pour l'automne.

2 Favoriser l'accès aux informations par tous, sans distinction de revenus, en installant à la bibliothèque trois ordinateurs en accès gratuit sur des plages horaires étendues.

Session 2

Activité 2.2.1

A

Les expressions qui mettent en valeur les Jardins du Soleil sont les suivantes :

- qui privilégie l'espace
- intérieurs ... spacieux et lumineux
- pour votre confort
- au cœur de la ville

  (Celles-ci servent à insister sur les qualités évidentes des appartements : ici l'espace, le confort, la luminosité, la localisation.)
- haut de gamme
- l'assurance d'un investissement de qualité
- son aménagement paysagé d'exception
- des prestations exceptionnelles

  (Celles-ci servent à évoquer des attributs moins précis, mais non moins persuasifs.)
- métamorphosez votre vie
- qui vous offre espace et quiétude
- une vraie bulle de bien être
- votre vie ... simple et pratique

  (Celles-ci servent à jouer sur les aspirations – même irréalistes – des clients eux-mêmes.)

B

1 Faux. (C'est « en plein centre-ville »)

2 Vrai.

3 Faux. (La résidence est spacieuse et calme : « vous offre espace et quiétude », « les intérieurs aussi sont spacieux et lumineux »)

4 Vrai.

5 Faux. (Le tram est tout proche : « À deux pas du tram... »)

6 Faux. (Les écoles sont aussi toutes proches : « [À deux pas] des écoles... »)

7 Faux. (L'architecture est moderne : se voit sur l'image)

Activité 2.2.2

A

1–(a); 2–(b); 3–(b); 4–(a); 5–(a); 6–(b); 7–(a)

B

Voici une suggestion pour une courte brochure publicitaire :

> Blancmanoir est un centre de remise en forme qui combine un site tranquille et traditionnel – l'ancien siège de campagne d'une famille noble – avec un « espace bien-être » ultramoderne. Le Centre, qui jouit d'un cadre verdoyant, est proche de la ville historique de Cantassou et de l'autoroute. Blancmanoir offre des vues imprenables sur la forêt de Bellegarde, site granitique où broute tranquillement un troupeau de biches. Incroyable, vous êtes à la campagne à deux pas de la ville ! À Blancmanoir nous pensons à votre confort avant toute chose. Nous vous assurons une qualité d'accueil exceptionnelle. Blancmanoir est un lieu de repos et de ressourcement vraiment unique.
>
> Métamorphosez votre vie ! Appelez vite pour vous renseigner ! Vous ne le regretterez pas !

Activité 2.2.3

A

1–(c); 2–(f); 3–(g); 4–(e); 5–(h); 6–(d); 7–(a); 8–(b)

B

Voici des réponses possibles :

1 Nous vendons notre très bel appartement en plein centre-ville. Situé au premier étage d'un immeuble ancien, il comprend deux chambres, un séjour exceptionnellement spacieux de 31 mètres carrés et une cuisine aménagée. L'appartement bénéficie d'un balcon avec exposition sud, d'une cave séparée et d'un emplacement de stationnement privatif. Le prix de l'appartement est de 170 000 euros.

2 À louer. Un appartement sans nuisances sonores ou autres, en très bon état dans une résidence de grand standing, surplombant le port, ayant deux chambres, une salle de séjour et un balcon, avec exposition plein sud. L'appartement est au troisième étage et possède sa propre cave ainsi qu'une place de parking au sous-sol. Il y a un ascenseur. Le loyer de l'appartement peut être sujet à négociation. Nous ne traitons pas avec les agences. Les particuliers peuvent envoyer un email à radig34@netorg.com.

3 Je vends ma maison individuelle, entourée de verdure et dans un emplacement calme, avec une très belle vue sur le Jardin des Plantes, qu'elle avoisine. La superficie est de 110 mètres carrés. La maison a un système de chauffage au fioul. Elle comporte une cave au sous-sol et un garage attenant. Le prix de vente est de 180 200 euros. Intéressés ? Contactez l'Agence Les Tilleuls, 3 place des Tilleuls, ou téléphonez au 00 76 34 56 10.

C

Voici une évaluation possible de cette propriété :

> Cette propriété est à la fois exigüe (c'est le sens du suffixe « -ette ») et délabrée (elle est à côté d'une « ruine »). L'« énorme potentiel » veut dire qu'il y aura énormément de travail à faire pour la rendre habitable. Au rez-de-chaussée, il n'y a pas assez de place pour faire deux pièces. On va donc être obligé de choisir entre un aménagement en cuisine, ou en salle de séjour. Pourtant, les deux sont indispensables. À l'étage, il n'y a rien qu'un grenier. Pour l'aménager en chambre, les travaux vont coûter cher. La maison n'est raccordée ni à l'eau, ni à l'électricité, ni au tout-à-l'égout. Le site paraît très isolé, la propriété étant à mi-chemin entre deux villages. En fait la maison a été construite au milieu d'une petite forêt, un peu comme la maison de la sorcière de Hansel et Gretel. La remarque qu'elle serait « idéale pour les vacances » implique qu'elle ne le serait pas pour les personnes souhaitant une habitation permanente. En somme, la propriété à vendre est vraisemblablement délabrée et nécessitera un aménagement complet ainsi qu'un gros investissement de temps et d'argent pour la rendre habitable.

Activité 2.2.4

1–(b); 2–(d)

Activité 2.2.5

Voici une publicité possible :

> Adorable maisonnette ancienne à rafraîchir, entre Coutan et Vaulieu. Au rez-de-chaussée, mignonne petite pièce à équiper en cuisine, attenante à jolie petite salle, parfaite pour reconversion en séjour-chambre. Vue sur beau terrain arboré. Possibilité de construction d'un appentis au rez-de-chaussée pour cabine-douche et WC écologique. À l'étage, grenier à l'ancienne, avec possibilité d'aménagement en chambre. Authentique cave à vins bourguignonne à restaurer. Grange ancienne dans le terrain. Prévoir construction fosse septique et raccordement téléphone. Proximité robinet eau communal. Merveilleux site escarpé, tranquille, proche entrée du village et aires de recyclage. Prix imbattable.

Activité 2.2.6

1–(b); 2–(b); 3–(a); 4–(a); 5–(b)

Activité 2.2.7

1. Le Port et Caen Centre/St Jean sont les quartiers les plus chers.
2. La Folie Couvrechef/Chemin Vert/Calvaire St-Pierre et Maladrerie St-Paul/Venoix/Bas Venoix Prairie sont les moins chers.
3. Le Port et Hastings sont les deux quartiers où les prix ont le plus changé.
4. La Folie Couvrechef/Chemin Vert/Calvaire St-Pierre est le quartier où les prix ont le moins changé.

Activité 2.2.8

A

1. Au choix, deux parmi les professions suivantes : agriculteurs ; artisans/commerçants ; employés ; professions intermédiaires ; autres.
2. Les retraités et les ouvriers.

B

Voici une réponse possible :

> Selon les statistiques, il n'y a pas de grandes différences entre les préférences des acquéreurs sauf pour les retraités et les ouvriers.
>
> Les retraités achètent bien plus d'appartements probablement parce qu'ils sont plus faciles à entretenir en vieillissant. Ils peuvent acheter moins cher et faire des investissements. En appartement, ils vivent d'habitude en ville plus près des services et ont un contact plus immédiat avec les autres.
>
> Les ouvriers achètent plus de maisons probablement pour y vivre en famille. Ils ont besoin d'espace et d'un jardin. Ils sont mieux payés que dans le passé et l'offre est plus large.

Activité 2.2.9

- Les professionnels dont elle parle sont le notaire et le comptable.
- Comme formalités elle parle d'obtenir un PACS, de régler son héritage et de faire une déclaration d'impôts.

Activité 2.2.10

A

Biens immobiliers	Risques et nuisances
un terrain	le plomb
un appartement	l'amiante
une maison	les termites
un bâtiment artisanal	les performances énergétiques
un bâtiment agricole	l'installation de gaz
un bâtiment industriel	la superficie
un bâtiment commercial	les risques naturels ou technologiques
un logement	

B

1 Vrai.

2 Faux. (Il existe un constat pour l'amiante. L'amarante est une plante et n'est pas mentionnée dans le texte.)

3 Vrai.

4 Faux. (Le texte dit que les chemins, ou procédures légales, sont « semées d'embûches », ou très complexes, et qu'il y a besoin d'une aide juridique fiable.)

5 Faux. (Cela fait partie des services que le notaire peut rendre.)

C

> Tout manquement de l'acquéreur aux obligations légales **entraînera** des conséquences très importantes. Le juge, selon le cas, **réduira** le prix de vente et parfois même **annulera** l'opération entière à défaut d'une information ou d'un document. Sachez aussi que pour calculer le coût de l'opération, il **faudra** ajouter au prix d'achat la rémunération du notaire pour la rédaction de l'acte authentique de vente.
>
> Enfin n'hésitez pas à interroger votre notaire et à le rencontrer. Officier public et professionnel libéral indépendant, c'est lui qui vous **fournira** le complément d'informations nécessaires à toutes prises de décisions.

Activité 2.2.11

A

> le notaire, le maître d'œuvre, l'architecte, les artisans, l'électricien, le plâtrier, le menuisier

B

1 Faux. (Il a parcouru des centaines d'annonces immobilières.)

2 Vrai.

3 Faux. (Il y a une auge – un bassin en pierre qui servait à faire boire le bétail – dans la cour.)

4 Faux. (En restaurant à fond le toit de la maison, on a évité de se retrouver dans un salon à ciel ouvert.)

5 Faux. (Le prix était fixe. C'est la durée des travaux qui a augmenté.)

6 Vrai.

7 Faux. (Parce que leurs meubles étaient dans le hangar ils ont dû manger à même le sol.)

C

Vous avez peut-être donné des noms différents aux phases de la rénovation chez Patrick. Voici les principales :

En 2002	• Recherches dans les annonces • Week-end de visites • Décision d'achat d'une vieille maison
En 2003	• Embauche du maître d'œuvre • Élaboration d'un plan d'aménagement • Fourniture des devis des artisans • Conclusion du contrat de gré à gré avec l'architecte
En 2004	• Début des travaux
En 2005	• Travaux en cours/continuation des travaux • Emménagement (dans un chantier !) à Noël
En 2006	• Isolation des murs et nouvelle toiture • Petites finitions • Fin des travaux

Activité 2.2.12

A

1–(h); 2–(d); 3–(e); 4–(g); 5–(a); 6–(b); 7–(f); 8–(i); 9–(j); 10–(c)

B

1 Les acheteurs de matériaux récupérés comprennent les architectes, les décorateurs et les particuliers.

2 Les récupérateurs sont de deux sortes : ceux qui proposent des lots bruts, en vrac ; et ceux qui assurent le tri, le nettoyage et même la restauration des matériaux.

3 Les facteurs qui déterminent les prix sont : la rareté de l'objet ; l'état de l'objet ; et les talents de négociateur de l'acheteur.

4 Les antiquaires ont des connaissances historiques ; ils peuvent dater les éléments d'architecture qu'ils vous vendent ; ils peuvent vous raconter l'histoire des articles mis en vente ; leurs prix sont beaucoup plus élevés.

5 Il faut absolument se renseigner sur l'état du lot ou de la pièce ainsi que sur son origine.

Activité 2.2.13

A

1 ceux qu' (que → qu' devant une voyelle)

2 celles qui

3 ceux qui

4 ceux qui

5 celle qui

6 celui dont (avoir besoin de)

7 ceux qui ... ceux qui

8 celles qu'

B

Voici des réponses possibles :

1 Les menuisières sont celles qui s'occupent de la boiserie.

2 Les maîtres d'œuvre sont ceux qu'on embauche pour gérer des travaux.

3 Un notaire est celui qui aide pour la vente et l'achat d'une maison.

4 Une entreprise de démolition est celle qui casse une maison.

Activité 2.2.14

Voici une lettre possible :

> Salut Dominique !
>
> Je suis ravi(e) de ma semaine en Normandie parce que j'ai pu bien me reposer et reprendre haleine. Je m'y suis même tant plu que je pense y acheter une petite maison ! Je vais te raconter ma découverte et te demander conseil.
>
> J'ai vu des offres intéressantes en feuilletant une brochure immobilière, et j'ai fait une excursion dans la campagne autour de Bayeux et en me promenant j'ai aperçu une jolie maison à vendre. J'ai pris rendez-vous tout de suite et je l'ai visitée. C'est une maison en pierre qui a été partiellement restaurée. Au rez-de-chaussée il y a un séjour avec une belle cheminée dans le salon et des poutres anciennes. À côté, il y a un petit bureau qui me conviendrait bien puisque je travaille souvent à domicile. Il y a trois chambres : une en rez-de-chaussée et deux à l'étage.
>
> À l'extérieur il y a une petite dépendance et là, nous pourrions abriter notre bateau à voile. On est tout près de la mer !
>
> Il y a des commerces dans le village et une petite école. Donc c'est un village où je vais pouvoir m'intégrer surtout si je propose des cours d'anglais !
>
> Cette propriété coûte 204 000€, c'est une bonne affaire ! Alors faut-il l'acheter ? Je ne sais pas, j'ai des doutes. Par exemple le jardin est assez grand et je me demande si je vais pouvoir l'entretenir. Et puis c'est à dix minutes à pied du centre du village, et ce dont j'ai peur, c'est de l'isolement.
>
> Mais, bon, on peut s'inquiéter de toutes sortes de choses mais si j'achète en France avec l'aide d'un bon notaire je ne devrais pas m'exposer à de mauvaises surprises par la suite.
>
> Qu'en penses-tu ?
>
> Dans l'attente de ta réponse, je t'embrasse

Session 3

Activité 2.3.1

A

1 Oui, Liverpool a joué un rôle important dans le trafic des épices et des esclaves pendant les XVIIIe et XIXe siècles, et possède une architecture coloniale imposante.

4 Oui, surtout les Beatles.

6 Oui, les docks de Liverpool sont emblématiques de l'histoire de la ville, aussi bien architecturale que sociale.

7 Oui, un grand estuaire comme celui de la Mersey à Liverpool attire des milliers de mouettes.

8 Oui, les habitants de Liverpool ont la réputation d'avoir un sens de l'humour caustique, peut-être incarné plus particulièrement par John Lennon.

B

1 La ville est célèbre à travers le monde grâce aux Beatles, aux clubs de football et à la compétition hippique.

2 Liverpool voudrait reprendre sa place en Europe en tant que ville de premier ordre.

3 La ville se trouve sur l'estuaire du fleuve Mersey.

4 Son pouvoir dépendait de l'esclavage, du commerce et de l'émigration.

5 Pendant les années soixante, la ville a été plongée dans la crise parce que le transport par conteneurs a tué l'activité des docks.

6 L'avenir est positif parce que les habitants restent fiers, les bâtiments restent debout et les Beatles continuent à plaire.

Activité 2.3.2

1 toujours pas/encore pas/pas encore

2 toujours/encore

3 toujours ; toujours/encore

4 toujours/encore

5 toujours/encore

6 toujours pas/encore pas/pas encore

Activité 2.3.3

A

1 Il y a deux réponses possibles : utile pour montrer que l'une des villes a une réputation gastronomique et pas l'autre. Mais si vous appréciez les spécialités culinaires de Liverpool, vous trouverez ce thème utile pour contraster les façons de faire la cuisine à Liverpool et à Marseille.

2 Utile pour contraster le ferry qui fait le trajet de la Corse avec le ferry qui traverse la Mersey.

3 Utile pour contraster la traditionnelle foire aux Santons avec des événements rappelant l'activité traditionnelle de la ville de Liverpool, comme le Festival de la Mersey.

4 Utile, car il existe un parler spécifique à Liverpool tout comme à Marseille.

5 Utile pour contraster le catholicisme marseillais (la « Bonne Mère », ou vierge Marie, veille sur la ville) avec les deux cathédrales de Liverpool, la catholique et la protestante.

B

Voici une réponse possible :

> Liverpool et Marseille présentent de nombreux contrastes. Ce sont toutes les deux des villes portuaires. Toutefois, Marseille est un port de mer, tandis que Liverpool est sur un estuaire. Chacune a son ferry, Marseille vers la Corse et Liverpool son fameux « ferry sur la Mersey ». Marseille a une réputation gastronomique basée sur la cuisine à l'ail, la tomate et l'huile d'olive, contrairement à Liverpool, qui est connue pour ses robustes plats de viande, comme le *lapskaus* des marins nordiques. Aux alentours des deux villes on trouve de nombreuses plages, qui attirent les amateurs de soleil et de bains de mer (pour eux, Marseille) et d'autre part les passionnés de nature sauvage (pour eux, Liverpool). Enfin, les deux villes sont fidèles aux traditions : Marseille a sa foire aux Santons, qui rappelle les Noëls du passé ; par contre c'est son passé commercial et maritime que Liverpool célèbre, avec son Festival de la Mersey.

Activité 2.3.4

A

1–(d); 2–(b); 3–(a); 4–(c)

B

Voici deux phrases possibles :

1 Je suis d'accord avec Luc, parce que ce sont nos enfants et petits-enfants qui paieront les erreurs du passé.

2 Je ne suis pas d'accord avec Naïma, parce que je pense que les centres-villes doivent rester piétonniers.

Activité 2.3.5

A

1–(e); 2–(d); 3–(a); 4–(b); 5–(g); 6–(h); 7–(f); 8–(c)

B

Voici une réponse possible :

> Personnellement je ne connais pas grand chose à l'architecture, mais dans l'ensemble je suis d'accord avec Paul Chemetov, parce qu'il me semble que l'architecture a plusieurs buts. Tout d'abord la construction de bâtiments en tenant compte du cadre et des besoins immédiats. Toutefois, je pense que c'est une erreur de construire en pensant uniquement aux nécessités pratiques. Il est tout à fait vrai que le style, l'esthétique et l'imagination contribuent aussi à la qualité environnementale. Les formes et les symboles, utilisés par des irresponsables, peuvent défigurer la ville. En revanche, entre les mains de vrais architectes, elles sont là pour inspirer le citadin et le porter au delà du quotidien.

Activité 2.3.6

A

1–(b); 2–(a); 3–(b); 4–(a); 5–(b); 6–(a); 7–(b); 8–(b); 9–(a)

B

Voici une réponse possible :

> Je trouve que l'artiste a beaucoup d'humour, mais je ne suis pas du tout d'accord avec lui. Le « logement de rêve selon les architectes » a certaines qualités, dont peuvent rêver les gens. Par exemple il a des couleurs gaies, et il est modulaire, et donc facile à construire, ce qui signifie qu'il n'est pas très cher. Le « logement de rêve selon les gens » est plus chaleureux, douillet et traditionnel. En revanche, il a représenté le rêve des gens par une construction très traditionnelle, tournée vers le passé : par exemple elle est faite de bois, qui est une matière chère dans notre monde limité en ressources forestières. Pour moi, le logement de rêve, c'est celui qui abrite des gens partisans d'une approche architecturale bienveillante envers la planète. Le passé dont nous héritons et le futur dont nous sommes responsables l'exigent. C'est cela, pour moi, le rêve à réaliser.

Activité 2.3.7

A

C'est la définition 3.

B

Voici une réponse possible :

> Je trouve que le Café des Images est le bâtiment qui me plaît le plus. Il attire mon attention tout de suite par sa singularité et me fait réfléchir. La mixité

des formes et des couleurs me fait penser à un puzzle et le fait ressortir de son fond. C'est un bâtiment qui a une architecture aussi variée devant que derrière. J'ai envie d'aller à l'intérieur pour l'explorer, et voir un film, bien sûr. Les affiches sur la façade m'informent du programme de la semaine. Cependant, c'est bien l'humour de ce bâtiment qui crée une ambiance décontractée et accueillante.

Le Café des Images se trouve au cœur de la ville et gardera longtemps sa place au premier rang des divertissements de la ville, puisque les Français adorent aller au cinéma.

Activité 2.3.8

A

C'est le deuxième : Grand Projet de Ville.

B

Voici une réponse possible (mais si vous avez exprimé des sentiments inverses, c'est très bien aussi) :

> Les jeunes ne sont pas toujours sensibles à leur environnement. Je trouve donc que c'est une bonne idée de leur parler en utilisant leur culture, et des styles artistiques qui les attirent grâce à leur gaieté et leur dynamisme.

Activité 2.3.9

A

Le député-maire propose concrètement de :

- refaire l'éclairage, le mobilier urbain, les plantations ;
- démolir pour mieux reconstruire certains immeubles.

B

Dans les quatre lignes de son discours, le député-maire s'exprime au négatif, et les verbes (ici « avoir » et « être ») sont au subjonctif. Nous avons réécrit les quatre lignes de son discours à l'affirmatif, et nos verbes sont à l'indicatif.

Activité 2.3.10

A

1. soit (verbe exprimant une opinion au négatif)
2. soient (verbe exprimant une opinion au négatif)
3. ait (expression impersonnelle indiquant une possibilité)
4. aient (verbe exprimant une opinion au négatif)
5. soyez (expression impersonnelle indiquant un doute)
6. soient (expression impersonnelle indiquant une possibilité)
7. aient (verbe exprimant un doute)

B

1. maintient (indicatif)
2. est (indicatif)
3. soit (subjonctif)
4. embellisse (subjonctif)

Activité 2.3.11

A

1. est (indicatif)
2. a (indicatif)
3. soit (subjonctif)
4. favorise (indicatif)

5 prennent (subjonctif)
6 puisse (subjonctif)
7 a (indicatif)
8 ait (subjonctif)
9 ont (indicatif)
10 jouissent (subjonctif)

B

Voici une réponse possible :

> Il est clair que les bâtiments des deux sites sont issus de conceptions bien différentes. Je crois que les architectes avaient beaucoup plus d'espace au Campus 2, tandis qu'à Hérouville il est certain que les architectes ont dû travailler à l'étroit.
>
> Il me semble que les bâtiments de la ville sont plus variés dans leurs formes et leurs couleurs. Au Campus, il n'y a que du gris et des façades en verre, mais je ne pense pas que ce soit ennuyeux. Je constate qu'il n'y a pas que des lignes droites, mais qu'on a fait usage de cercles et de demi-cercles.
>
> En ville je sais que les architectes ont dû faire des efforts pour dynamiser la ville. Il semble qu'ils aient réussi avec les bâtiments publics, cependant je remarque que les entrées de la ville posent toujours des problèmes. De même, je vois qu'ils ont essayé de rendre les logements sociaux plus attrayants.
>
> Je trouve que c'est une excellente idée d'augmenter la verdure et les espaces verts partout. Il est sûr qu'on y respire mieux !

Activité 2.3.12

A

1–(f); 2–(k); 3–(a); 4–(g); 5–(h); 6–(b); 7–(i); 8–(e); 9–(d); 10–(c); 11–(j)

B

1 Ils ont à cœur de conserver leurs petits commerces parce que ceux-ci ont permis au quartier de garder son caractère traditionnel et sa singularité, et qu'ils répondent à la diversité des besoins des Caennais. Ils peuvent faire confiance aux commerçants quant à la qualité des biens et ils sont contents du service très professionnel qu'ils reçoivent, accompagné de conseils utiles.

2 Xavier Amice pense que trop de Caennais ne fréquentent pas le quartier par habitude, à cause de l'hypercentre, mais aussi parce que le quartier manque d'espaces verts, de plantations, d'éclairage et d'autres embellissements.

3 Le quartier pourra bénéficier d'une ouverture plus directe sur le centre-ville, ce qui changera les habitudes des gens.

4 Ils vont organiser une grande brocante.

C

> Dans l'**ensemble** je suis d'**accord** pour assurer une animation. **Toutefois** je ne crois pas qu'on **puisse** organiser une vraie **visite** d'**architecte**, mais je connais un étudiant en histoire de l'art qui sera ravi de promener les visiteurs sur un large **périmètre** de l'**agglomération** de Givy. Je propose aussi un concours de dessins d'enfants sur le thème « Le **logement** de **rêve** selon les gens », ou « selon Blanche-Neige », « selon Jean Nouvel », etc. À chaque enfant de choisir selon qui ! Mais je ne pense pas qu'une animation **soit** la seule priorité. Pour ceux qui ne connaissent pas **encore**

la ville, une exposition de photos leur permettra de comprendre l'évolution de l'**urbanisation** à Givy. Les photos doivent intriguer les **gens**, et les inviter à la réflexion. Nous avons des images qui remplissent bien cette **fonction**, par exemple la photo du Café des Images, avec son **aspect** de **jeu** de construction, ou celle de la rue de la Citadelle en 1900 avec ses **fleuristes**, ses petits **commerces** de **proximité** et ses **métiers** de **bouche**. Aujourd'hui, à cause des hypermarchés, elle est peut-être **vouée** au déclin. Mais, comme moi, vous êtes certainement **loin** d'être d'accord pour dire qu'il y a une **fatalité** et que nous allons **inexorablement** vers la disparition de nos traditions. Il est **tout** à **fait** vrai que notre **avenir** repose en grande **partie** sur la politique d'**aménagement** du territoire. Pour symboliser notre optimisme et notre humour, voici donc une idée **spectaculaire** pour les éclairages, le **mobilier** urbain, les espaces **verts** et les **ronds-points**. Impossible de les revoir entièrement ; par **contre** on peut les adapter au thème de la Journée en accrochant partout des ballons en forme de Gros Pandas Volants, symboles de notre Grand **Projet** de Ville !

Session 4

Activité 2.4.1

A

1 Oui

2 Non

3 Non

4 Non

5 Oui

6 Oui

B

Voici quelques phrases possibles :

1 Nous demandons une action immédiate de la mairie pour bloquer ce développement.

2 Il faut stopper ce projet avant l'ouverture du chantier.

3 Nous exigeons de préserver l'image traditionnelle de notre quartier.

4 Nous réclamons une réunion publique pour débattre d'un grand projet de ville qui soit acceptable à tous.

Activité 2.4.2

A

1–(e); 2–(f); 3–(a); 4–(b); 5–(c); 6–(g); 7–(d)

B

1 Il faut ouvrir vingt-quatre heures sur vingt-quatre.

2 Il faut mettre en place des locaux décents.

3 Il faut accueillir les gens en chambre individuelle ou double, selon souhait.

4 Il faut garantir des places pour des personnes ayant des chiens.

5 Il faut permettre une participation à la vie du centre.

6 Il faut renforcer l'accompagnement social.

C

1–(g); 2–(f); 3–(e); 4–(d); 5–(a); 6–(c); 7–(b)

D

Voici une réponse possible :

> Aujourd'hui, il est scandaleux que les victimes de la grande pauvreté soient laissées dans des ghettos ou à la merci des exploiteurs ! Nous n'acceptons plus que des parents subissent l'humiliation

de partager leur vie quotidienne avec deux, parfois trois autres familles dans une pièce de huit mètres carrés ! Il est intolérable que des enfants ne puissent pas suivre une scolarité normale parce qu'ils n'ont pas un bout de table pour faire leurs devoirs le soir. Nous voulons que cela cesse ! Ces personnes ont droit à la dignité. Les logements sociaux sont trop souvent attribués à ceux qui pourraient acheter. Il faut stopper cette injustice !

Des solutions existent, il faut avoir le courage de les imaginer. Par exemple, mobiliser les propriétaires de logements vacants pour qu'ils louent à des familles précaires, avec l'aide des autorités locales.

Nous, Association Un Toit Pour Tous, appelons tous les citoyens et citoyennes à agir. Il faut :

- Sensibiliser les quartiers par des campagnes d'affiches et des réunions ;
- Rassembler des fonds par des ventes sur les marchés (vieux vêtements, livres, objets d'occasion, brocante) ;
- Persuader les maires de nous donner des lieux où accueillir et conseiller les familles.

Se loger correctement, c'est un rêve réalisable pour les ménages les plus pauvres : il faut se mobiliser pour les aider !

Activité 2.4.3

A

(a)–3; (b)–2; (c)–1; (d)–4

B

1–(b); 2–(c); 3–(a); 4–(c); 5–(c); 6–(a)

C

1 d'

2 aux

3 aux

4 des

5 du

6 à

7 à

Activité 2.4.4

A

1 En 1919.

2 En couronne (autour) de la ville.

3 Les cinq agences de quartier.

4 Au service des locataires.

5 Aux familles, aux étudiants, aux personnes âgées, aux personnes handicapées, aux commerçants et aux copropriétaires.

B

1–(a); 2–(a); 3–(c); 4–(b)

Activité 2.4.5

A

1 Ils viennent tous les deux d'anciennes caractéristiques géographiques : un ancien chemin et une ancienne carrière de pierres.

2 L'agriculture.

3 Il a la forme d'un rognon.

4 On prend la voiture pour aller au Chemin Vert, par le périphérique nord. On prend le tramway pour aller à la Pierre Heuzé.

5 (a) Dès les années soixante (et plus précisément en 1964).

(b) À partir de 1971.

B

Le bon ordre est 5, 3, 1, 4, 2.

C

Voici une réponse possible :

La Cour-Basse

Situé au nord-ouest de la ville de Genis-les-Vignes, ce quartier doit son nom à une ancienne villa romaine qui abritait l'aristocrate local (qui y tenait sa « cour »). Le chemin de la Cour, qui allait directement au centre du village, était emprunté autrefois par les vignerons pour aller dans leurs vignobles. C'est une zone de périphérie urbaine aménagée pendant les années soixante, plus précisément depuis 1966. Le secteur couvre 100 hectares, sur lesquels environ 500 maisons individuelles ont été construites, toutes dans le style régional. C'est le patrimoine le plus important de Genis. Ce quartier, calme, discret et aéré, a gardé ses nombreux jardins et bénéficie de plusieurs terrains de sport ainsi que d'une ancienne fabrique de textiles reconvertie en ateliers d'artistes. Il est directement accessible par la route de Lyon, et constitue un lien entre ville et campagne.

Activité 2.4.6

A

1–(d); 2–(c); 3–(a); 4–(b); 5–(h); 6–(i); 7–(e); 8–(f); 9–(g)

B

Voici des réponses possibles :

1 Un titre de séjour permet à un étranger domicilié en France d'y rester mais au maximum trois mois.

2 Une carte d'identité est un document d'identité qui permet moins d'immobilité pour les membres de l'Union européenne, qui peuvent ainsi voyager en Europe sans passeport.

3 Une photocopie du jugement de divorce est un document qui montre que la personne est obligée de cesser d'habiter à son domicile conjugal.

C

(a) 1, 2, 3, 7, 8

(b) 4

(c) 6, 9

(d) 5

D

Voici une lettre possible :

Monsieur ou Madame le ou la Responsable du service location de Caen Habitat,

À la requête de Madame Julia Walwein, je vous adresse cette lettre de soutien à sa demande de logement. Elle effectue cette demande à cause d'une embauche qui va l'obliger à se rendre tous les jours chez son employeur, à 30 kilomètres de son domicile actuel, dans une petite ville dont l'accès est impossible par les transports en commun. Son salaire lui permettra de payer un loyer, mais pas de se procurer un véhicule. Dans le dossier joint à cette lettre, Madame Walwein a rassemblé les documents nécessaires sur sa situation personnelle (photocopie de la carte d'identité), financière (avis d'imposition sur le revenu), professionnelle (attestation de mutation professionnelle) et de logement actuelle (quittance de loyer). Je me tiens à votre disposition pour vous fournir des renseignements supplémentaires si vous le désirez.

Veuillez accepter mes salutations distinguées,

[Votre signature], pour Madame Walwein

Activité 2.4.7

A

1 Vrai.

2 Faux. (Tous les ans : « propose tous les ans de nombreuses animations »)

3 Vrai.

4 Faux. (Elles bénéficient de subventions : « ces associations peuvent compter sur la municipalité » ; « Les subventions représenteront en 2007 un peu plus de 3 millions d'euros »)

5 Faux. (« un peu plus de 3 millions d'euros »)

6 Vrai.

7 Faux. (« une pratique sportive de tout niveau »)

8 Vrai.

B

1 bien

2 bon

3 bon

4 bien

Activité 2.4.8

A

1–(c); 2–(c); 3–(c); 4–(b); 5–(a); 6–(c); 7–(a); 8–(a, c, d); 9–(a, d); 10–(c)

B

Voici une réponse possible :

Je te recommande le Café des Parents et des Enfants. Tu peux y trouver :

- une ambiance conviviale et ludique
- un espace spacieux et accueillant
- d'autres parents avec qui prendre une boisson
- des échanges à thème
- des conférences
- des ateliers
- un point info
- un partage d'expérience
- des jeux pour les enfants

Activité 2.4.9

A

1 Faux. (Les ballons sont représentés pour symboliser la fête)

2 Vrai.

3 Faux. (L'élévation de l'immeuble dans l'air symbolise la joie et la légèreté de la fête)

4 Faux. (La partie inférieure du dessin montre la base de l'immeuble « arrachée » parce qu'il s'envole dans les airs)

5 Vrai.

6 Vrai.

B

Voici une réponse possible :

> La notice de gauche a été préparée par des particuliers : le style est informel et les trois indices sont l'utilisation d'un mot raccourci (« apéro »), le choix du mot « gens », et du pronom « on ». Par contraste la notice de droite adopte un ton plus formel, et utilise les mots « apéritif », « personnes », et le pronom « nous ». Une analyse du style montre donc qu'il s'agit donc d'un texte rédigé par une association.

Activité 2.4.10

Voici une réponse possible : en gras, vous trouverez quelques-uns des points grammaticaux étudiés dans ce livre.

La solidarité et le logement en France : de la lutte à la fête

Un des trois aspects de la solidarité citoyenne en France, c'est l'action revendicative de groupes comme les Enfants de Don Quichotte, **dont on** connaît l'action spectaculaire : avoir installé sans permission 200 tentes sur les berges du Canal Saint-Martin, pour abriter les SDF. **En conséquence**, ils ont sans doute maintenu le problème du logement à la première page des journaux très longtemps, **ce qui** est bénéfique pour les sans-abris.

L'État français manifeste **également** une solidarité avec **les gens** sans grands moyens financiers : il les aide en distribuant des hébergements d'urgence, des logements sociaux et diverses subventions.

Troisièmement, pour vivre solidairement, en France, **on** peut choisir de participer à la vie associative, par exemple dans son environnement immédiat, **parce que** ce sont souvent les voisins proches qui ont besoin de nous. Ou **on** peut choisir de développer des secteurs d'activité mal soutenus par l'État et le secteur privé, ou tout simplement d'animer sa ville et de susciter la convivialité entre voisins.

Enfin, je ne trouve pas que l'approche la plus **sympa** de la solidarité sociale **soit** celle des politiciens. **Absolument pas ! Au contraire, moi, je** dis que la bonne méthode c'est **celle qui** permet de s'amuser tout en aidant **les gens**, **parce qu**'aujourd'hui **on** ne sépare **plus** les bonnes actions du plaisir personnel et les gens s'engageront souvent avec enthousiasme si on les motive à le faire. Je sais que ce n'est pas toujours facile, mais on peut essayer. **On** peut très bien organiser des fêtes, faire payer l'entrée pour verser les bénéfices aux associations d'**aide aux** démunis. **Ou bien** s'impliquer **encore plus** et entrer dans une association loi 1901, ou en fonder une. **En revanche** là, c'est le travail qui domine, **plus** que le plaisir, mais c'est pour une bonne cause ! De toute façon **il faut impérativement** faire quelque chose : **il est intolérable** que l'on **accepte** les exclusions dans notre société.

Acknowledgements

Grateful acknowledgement is made to the following sources for permission to reproduce material in this book:

Text

Page 21: 'Les 5 étapes de la consultation', www.grenoble.fr; *pages 29–30*: 'Calvados : Le marché immobilier en 2006', Conseil régional des notaires de la cour d'appel de Caen; *pages 34–5*: 'Lettre de mon notaire', May 2007, Conseil régional des notaires de la cour d'appel de Rouen; *page 38*: Soubiran, N., 'Rénover avec des matériaux récupérés', 2007, Maison Magazine Hors-Série; *page 53*: Thomas, R. (deputy mayor), 'Hérouville en mouvement', Un projet de vie solidaire et durable, mairie d'Hérouville Saint-Clair; *page 57*: 'Mon quartier à moi', Caen Magazine, no. 57, January/February 2003, www.ville-caen.fr; *page 62*: 'Charte du canal St-Martin pour l'accès de tous à un logement', www.lesenfantsdedonquichotte.com; *pages 67–8*: various extracts from www.caenhabitat.fr, courtesy of Communication-Mairie de Caen; *pages 71–2*: 'L'Équipe municipale rend hommage aux associations', Hérouville en clair, no. 23, February–March 2007, Journal d'information municipal, www.hérouville.net; *page 74*: 'Parents et enfants ont maintenant leur café', Hérouville en clair, no. 24, April–May 2007, Journal d'information municipal, www.hérouville.net; *page 76*: 'La fête des voisins, Immeubles en fête', www.immeublesenfete.com.

Illustrations

Front cover: © Clynt Garnham / Alamy

Page 5: © Xavière Hassan; *page 7*: © Xavière Hassan; *page 26*: © Lucy Ovadia; *page 30*: © Lucy Ovadia; *pages 31–2*: 'Calvados : quelques chiffres', Conseil régional des notaires de la cour d'appel de Caen; *page 33*: © Marie-Noëlle Lamy; *page 36 (top and bottom left)*: © Patrick Wallace; *page 39*: © Marie-Noëlle Lamy; *page 45*: © Xavière Hassan; *page 49 (top, middle and bottom)*: © Lucy Ovadia; *page 50 (top and middle)*: © Lucy Ovadia; *page 51*: © Marie-Noëlle Lamy; *pages 51–2*: 'Les Détectives urbains', no. 1, Service politique de la ville et service communication de la mairie d'Hérouville, cartoons by Karl Beley; *page 56 (top and bottom left, top and bottom right)*: © Lucy Ovadia; *page 67*: 'Implantation géographique de trois quartiers gérés par Caen Habitat', www.caenhabitat.fr, courtesy of Communication-Mairie de Caen.

Every effort has been made to contact copyright holders. If any have been inadvertently overlooked, the publishers will be pleased to make the necessary arrangements at the first opportunity.